La collection
FICTION POCHE
est dirigée par
André Vanasse

La fin de siècle comme si vous y étiez (moi, j'y étais)

De la même auteure

Elle meurt à la fin, Montréal, Paje éditeur, 1993 (en collaboration avec Sylvie Bérard).

Brigitte Caron

La fin de siècle comme si vous étiez (moi, j'y étais)

roman

XYZ
éditeur

La publication de cet ouvrage a été rendue possible grâce à l'aide financière du ministère des Communications du Canada, du Conseil des Arts du Canada et du ministère de la Culture du Québec.

©
XYZ éditeur
1781, rue Saint-Hubert
Montréal (Québec)
H2L 3Z1
Téléphone: 514.525.21.70
Télécopieur: 514.525.75.37

et

Brigitte Caron

Dépôt légal: 2ᵉ trimestre 1997
Bibliothèque nationale du Canada
Bibliothèque nationale du Québec
ISBN 2-89261-205-5

Distribution en librairie:
Dimedia inc.
539, boulevard Lebeau
Ville Saint-Laurent (Québec)
H4N 1S2
Téléphone: 514.336.39.41
Télécopieur: 514.331.39.16

Conception typographique et montage: Édiscript enr.
Maquette de la couverture: Zirval Design
Illustration de la couverture: Mark Gertler, *Le manège*, 1916, huile sur toile

REMERCIEMENTS

D'abord, pour les lectures, les conseils et la patience, merci à Noël Audet, Martin Dulude, Sylvie Bérard, Rémi-Éric Fillion et Lucie Bégin.

En second lieu, pour les renseignements qu'ils m'ont si gentiment fournis, merci aux membres d'Amnistie internationale et du comité UQAM-Amérique centrale.

Et puis, pour les merveilleux personnages qu'elles m'ont inspirés, ou pour les belles histoires qu'ils m'ont racontées, merci (encore) à Martin Dulude et Sylvie Bérard ; à Johanne Simard, Leslie Piché, Brigitte Bérubé, Josette Côté, Louise Gavard, Michèle Émond, André Lauzon et Jacques Sauvé ; à Dominic Champagne, Alain Desormeaux, Catherine DesRochers, Raymond Tremblay et Sonia Pelletier ; au *drop-out* cultivé, à Lili, au petit rocker, à l'homme le plus plate de la Terre, à Queue-de-Béton, à l'incroyable Bob, au manchot qui jouait au billard, à Ti-Guy, au chat Thimothée, à Laval Premier et à sa sainte famille, à Noäl ; aux maniaques qui m'ont prise en auto-stop et à la première correctrice que j'ai connue (qui m'a encore plus traumatisée que les précédents) ; au Californien, au peintre de *L'orgasme vert* et aux baby boomers.

à ma gang

CHAPITRE 1

Où l'on apprend que Ninon ne s'appelle pas Ninon

Ordre du jour

0. Présences (« Arrivez donc qu'on débouche le mousseux ! »)
   - 0.1. Adoption de l'ordre du jour (« Qu'est-ce qu'on mange ? »)
   - 0.2. Lecture et adoption du procès-verbal de la dernière assemblée (Joanna raconte le dernier party à sa manière et, en guise de remerciement, on proteste : « Joanna, arranger la vérité à ce point-là, ça s'appelle mentir ! » Peuh ! mauvaises langues !)
1. Préparation des festivités
   - 1.1. Apéritif
   - 1.2. Mise en place
   - 1.3. Attente des invitées
     - 1.3.1. Apéritif
     - 1.3.2. Apéritif
     - 1.3.3. Apéritif (etc.)
2. Souper
   - 2.1. Miam !
   - 2.2. Wow !
   - 2.3. Mais ça t'a pris combien de temps ?
   - 2.4. Détachez vos ceintures…
   - 2.5. Oh, et puis enlevez donc carrément vos jupes !
3. Bavardage entre filles ivres. (On va parler de sexe, je le sens !)
4. Levée de l'assemblée. (Tout le monde couché, hip !)

1er janvier

*P*our la nouvelle année, j'entame un nouveau cahier, craquant
et blanc, avec une pochette à l'intérieur de la reliure pour
ranger ma correspondance. Je me forcerai à bien écrire, proprement, comme quand j'étais écolière. Bien sûr, cela ne durera que
quelques pages, le pli de l'écriture rapide et bâclée reviendra vite.
Mais personne ne tapera sur les doigts de la maladroite gau-
chère aux idées si nombreuses qu'elles se bousculent à la sortie,
lui faisant oublier de suivre bien sagement les lignes droites et
rigoureuses. Ce carnet secret le restera donc puisque, aussi bien,
il sera indéchiffrable.

De toute manière… quel archéologue du futur pourrait bien
s'intéresser aux propos déprimants d'une jeune ermite de vingt-six
ans, qui ne sort à peu près pas de son trou et qui vit dans la ville
sans jamais participer à son effervescence ? Montréal danse sans
moi sa gigue postmoderne et je ne perçois que de loin les échos de
son carnaval quotidien. Et puis, en fait, qu'est-ce que ça change-
rait si moi, pauvre diariste aux ambitions nébuleuses, je m'en
mêlais !

Bon, me voilà encore en train de glisser dans le pathétisme
narcissique. Penchons-nous plutôt sur le sort des autres, c'est tellement moins ennuyant.

Par ce bel après-midi froid et ensoleillé, j'écris en attendant
que mes chumesses arrivent pour fêter le jour de l'An. Ce sera la
cinquième année que nous serons réunies pour cette occasion.

Il y aura Joanna. Elle arrivera la première et réclamera
d'office un apéritif. Elle créera une ambiance de party en cinq

minutes, en fêtarde d'expérience. Il n'y aura pas de moment creux, on peut être sûres qu'elle animera subtilement la soirée pour que tout se déroule parfaitement. Elle prévoira la période de rires, le moment d'émotion, la séance de confidences. Elle s'arrangera pour que les séquences d'intimité chevauchent les grands fous rires. Elle nous racontera quelques-unes de ses incroyables aventures.

C'est pendant un des minces silences qu'elle laissera s'installer, à une minute judicieusement choisie, que j'annoncerai à mes amies la grande nouvelle. Elle en fera le grand moment de la soirée. Elle accordera à l'événement l'importance qu'il a pour moi.

Obligatoirement, parce que chaque party doit être chapeauté d'un thème, elle nous imposera la traditionnelle séance de résolutions. Les filles seront outrées de la mienne.

Il y aura Dany. Elle arrivera tôt. Elle sera de bonne humeur. Elle babillera légèrement, tenant des propos enthousiastes sans grande importance. Elle paraîtra avoir douze ans. Elle fera une mine triste quand Patricia se fâchera à grands coups de discours radicaux.

Patricia arrivera en retard. Elle aura une bonne raison. Nous l'attendrons fébrilement parce qu'il y a longtemps que les causes de Patricia sont les nôtres.

Seul Marc manquera à l'appel. Mais il ne nous a pas oubliées. Avant-hier, j'ai reçu une lettre de lui. Même au bout du monde, il ne néglige pas sa vieille amie de toujours, « son meilleur chum » comme il se plaît à m'appeler même si ça m'horripile. Mais il faut croire que ça dit ce que ça a à dire, pas vrai ?

Sa missive était accompagnée d'un petit paquet qu'il m'interdisait formellement d'ouvrir avant ce soir. Nul besoin de souligner que je suis morte d'impatience. Il n'a pas dit un mot, par contre, au sujet de ce que j'ai trouvé dans la feuille de papier pliée. C'est bien sa manière, ça. Me faire des cadeaux sans en avoir l'air.

C'est une petite boucle d'oreille en or torsadé, très mince. Je me plais à imaginer que l'autre brille à son oreille gauche.

J'ai relu la lettre : il ne m'a pas nommée une fois. C'est aussi bien.

Je ne m'appelle pas Ninon.

N.

Préambule en forme d'avertissement

par Joanna Limoges

Pour les rares lunatiques qui avoueraient sans honte ne pas me connaître (non mais où étiez-vous ces dernières années, dans quels limbes erriez-vous? eh oh! réveillez-vous, votre camelot n'est pas passé depuis 1989, vous écoutez la station Punk-Détente, vous syntonisez Télé-Prague!), je me présente: Joanna Limoges, chroniqueuse mondaine de son état. Prenez garde, descendez aux abris, les femmes et les enfants d'abord, voilà Supercurieuse qui s'en vient se mêler de vos affaires! Oui, c'est moi qui sévis là où les rumeurs volent bas, qui en invente quand il n'y en a pas et qui publie les cancans les plus savoureux.

Mais attention: mes intentions sont nobles. Je tiens en fait un répertoire historique de cette charmante (*sic*) décennie nonagénaire et je répands la bonne nouvelle et la mauvaise, par tous les moyens: télévision, télécopieur, satellite s'il le faut. Mais, en général, plus prosaïquement, j'ai ma colonne hebdomadaire dans le journal culturel le plus branché de la Terre, justement intitulée: *La fin de siècle comme si vous y étiez (moi, j'y étais)*. C'est pas un beau titre de chronique, ça?

Autrement dit, quand je ne cours pas les partys, je les raconte. C'est mon métier. Équipée d'un détecteur de mensonges, du look le plus killer de Montréal et d'un foie à toute épreuve, pas un lancement, pas un vernissage, pas une séance de coupage de ruban ne m'échappent. Que voulez-vous, c'est que, pour prendre le pouls de cette grosse Hochelaga malade, il faut être partout à la fois : aux spectacles de l'American Rock Café, à la biennale de l'Association multiculturelle des artistes en arts visuels judéo-taoïstes d'extrême-centre (ils sont trois) et aux assemblées générales de l'ACEF. C'est là (ou ailleurs) que vous m'avez aperçue, ou à tout le moins entendue, car on prétend que je suis la seule fille du Québec à posséder une voix capable de péter des verres en styrofoam.

Et ce n'est pas tout : je ne refuse jamais de faire un saut dans un quelconque party privé – quand on est branchée, on connaît le circuit (hi ! hi !) –, première-ment parce que je suis une fille très sociable, deuxiè-mement parce que c'est là que je rencontre les gens qui ne fréquentent pas les bars (oui ! ce genre de mésadaptés existe !) et troisièmement parce que j'adore cruiser.

Je vous vois venir. Vous vous dites : quelle femme superficielle, quelle alcoolo hyperactive, en un mot, quelle maudite *fatiquante* !

Mais non, voyons ! je suis toute douce en dedans, je suis très sympathique, je vous le jure ! Vous allez voir, ça fera pas mal !

La preuve, c'est que j'ai des amis. Des vrais, je veux dire ; pas de ces vagues connaissances dont on n'arrive jamais à se souvenir du nom, avec qui on se contente de virer joyeusement le party. Je parle de chums qui savent exactement qui je suis en dessous de mon fond de teint.

Vous les connaissez déjà vaguement. Ils sont quatre. En fait, elles sont trois, et il est un. Ce qui est toujours très embêtant quand on en parle parce que le masculin l'emporte 1 à 3 et que ce n'est pas juste.

Non que je sois ce genre de linguiste féministe qui met des «e» partout — ce qui n'est pas une honte; d'ailleurs, il y en a une dans ces pages, vous allez mieux la connaître plus tard —, mais quand même, quand je vois des aberrations grammaticales du genre «Deux mille femmes et un crétin sont présents» (présents étant accordé au masculin pluriel à cause de ladite règle), je m'insurge. Aussi, mettons tout de suite une convention au point: quand je parle de mes chumesses, mon ami Marc est inclus (sauf quand il n'est pas là, bien sûr, ce qui est, hélas! fréquent). *Idem* quand je m'adresse à mes lectrices: de grâce, messieurs, ne le prenez pas mal, soyez assurés que je ne vous oublie pas une seconde, que je garde bien en tête (et ailleurs) votre existence et que je m'en préoccupe beaucoup, mais quand je vous appelle «mesdames», pour une fois, sentez-vous concernés!

Mais trêve d'introduction, en place pour l'inévitable:

PROCÈS-VERBAL DU *TRADITIONNEL* SOUPER
DU JOUR DE L'AN DE NINON LAFONTAINE

Sont présentes:
— Ninon Lafontaine, notre hôtesse habituelle du Premier de l'an depuis maintenant cinq ans, d'où le «traditionnel». Ninon, c'est la sage de la gang. Celle qui rapaille et accueille gentiment les esseulées des

fêtes. Ninon était tout de velours et de soie vêtue : un magnifique corsage, surmontant une superbe jupe à crinoline… Bref, y a rien que Cendrillon pis une fille qui coud pour être capable de s'offrir pareille splendeur.

— Patricia Chaillé, notre Amnistienne internationale préférée, qui est arrivée en retard, bien sûr. Elle a dû réussir à obtenir un sursis à son condamné à mort, à tout le moins, sans quoi elle serait sûrement déjà en train d'organiser un coup d'État. Tant qu'à y être, elle en aurait probablement profité pour faire sauter quelques industries irrémédiablement polluantes, puisqu'elle est aussi membre de Greenpeace, et aurait libéré quelques femmes du joug patriarcal, elle qui siège à huit organismes féministes.

— Dany Lamont, sans son chum. (D'ailleurs, il n'est jamais avec elle, c'est presque louche. On se demande parfois s'il existe vraiment, cet homme. Moi, je sais bien que si j'avais la chance d'avoir un chum, montrable de surcroît, je le sortirais, ça c'est sûr !)

— Joanna Limoges, secrétaire de la présente assemblée, arrivée en premier et repartie la dernière, pour être sûre de ne rien manquer.

— Et, ô surprise ! Marc Auger, absent de corps, mais vaguement présent en esprit !

Quand j'arrive, Ninon a caché sa robe sous son grand tablier blanc à bavette – une autre de ses créations qui mérite n'importe quoi sauf le vocable « tablier » – et fait mine d'être affairée quand, dans le fond, tout est prêt depuis longtemps, j'en suis sûre.

Je propose, agréablement appuyée par notre hôtesse, de prendre un apéritif avant que les autres arrivent. Ninon me prépare son célèbre Bloody Mary

à retardement (ça explose avec un décalage horreur)
et elle y va de cette étrange confidence, après m'avoir
fait jurer sur la tête de Francine Grimaldi de la garder
pour moi.

– Je ne m'appelle pas Ninon, qu'elle me révèle
bête de même.

– Pardon? que je rétorque.

En bref, elle m'avoue qu'elle use d'une imposture
lui permettant de se présenter sans honte, mais
qu'elle ressent un malaise chaque fois qu'elle pro-
nonce ce prénom usurpé, plus encore que du temps
où elle utilisait le sien, celui qui apparaît sur son bap-
tistaire.

Pourtant, poursuit-elle pendant que j'ai personnellement beaucoup de misère à la suivre, user du vrai
(nom) est au-dessus de ses forces. Et puis pourquoi
une toquade, pire, un acte irréfléchi de la part de sa
mère devraient-ils entacher toute sa vie? Mais c'est
pourtant l'influence qu'il a (cet acte), et elle conclut
en jetant : « J'ai dû changer de prénom, et ainsi, en
quelque sorte, trahir maman. Je ne m'appelle pas
Ninon. »

Je lui réponds que c'est pas grave, qu'on peut
s'appeler Gertrude ou Aglaé et avoir quand même
droit à la vie, c'est là qu'elle me fait part de la crotte
grosse comme une hypothèque qu'elle a sur le cœur :

– Mon vrai nom, c'est Manon.

Là, j'avoue qu'elle me laisse pantoise, éberluée,
estomaquée et autres sentiments analogues. Bon, je
lui dis que ce prénom est éminemment trivial, effecti-
vement, que je ne vois pas comment elle pourrait
supporter d'endosser une telle banalité, un tel manque d'intérêt, mais qu'enfin, il ne faudrait peut-être

pas trop dramatiser ; je lui raconte même que, dernièrement, j'ai rencontré une petite Marie-Québec de
quatorze ans qui avait l'air de ne pas la trouver drôle
et qu'elle (Ma-Ni-Non) a peut-être échappé à pire ?

Alors, elle me parle de Manon Lescaut et, plus
récemment, de Manon des Sources. Elle me souligne
que « Manon » est désormais le fait de toute une génération d'anciennes fillettes des années soixante, issues
d'une classe populaire qui suivait les modes, et dont
les frères et les sœurs se nomment généralement
Richard, Daniel, Chantal et Sylvie. Elle me raconte
son drame d'avoir toujours partagé son identité avec
trois ou quatre Manon dans ses classes ; pour la plupart, spécifie-t-elle, elles portaient le cheveu fin et des
vêtements (mal) cousus à la main. Je lui dis de regarder sa robe, et de se rendre à l'évidence que, franchement, il n'y a pas de honte à avoir eu une mère qui
savait coudre ; la mienne ne connaissait que le cro-
chet, et j'ai passé mon enfance avec des pantalons en
forme de jardinière sur le dos. Mais elle poursuit,
pathétique comme une annonce de la S.P.C.A. :
« Nous jouions au ballon-chasseur dans la ruelle et
quand on criait : "La pâsse, Manon, enwoèye, la
pâsse !", je ne savais jamais si l'on s'adressait à moi…
Plus tard, au secondaire, on lisait : "Johnny *love*
Manon" sur les murs, et on pleurait, nous, le club des
Manon — on était douze en secondaire III, dont au
moins huit à se pâmer sur Jean Lalonde, dit Johnny
parce qu'il y avait dix-sept Jean dans l'école — de ne
pas savoir si le graffiti nous était personnellement
destiné. »

Je la rassure, je la comprends : ça n'a pas toujours
été drôle d'avoir une marraine qui s'était appelée

Jôannâ avant moi, surtout que, Joanna Limoges, quand tu parles sur le bout de la langue parce que tu portes des broches, entre toi pis moi…

Pour la remonter, je lui demande comment elle en est venue à adopter ce MAGNIFIQUE prénom ancien et chic comme tout qu'elle porte désormais.

— J'ai déménagé en banlieue entre mon secondaire et mon cégep, explique-t-elle, et, à l'inscription, je n'ai pas pu résister, j'ai triché, expliqué une histoire embrouillée d'erreur de frappe ; à dix-sept ans, je devenais Ninon Lafontaine.

Happy end, comme disent les Anglais.

— Qu'est-ce que ta mère en a pensé ?

— Elle m'a laissée faire en me traitant de prétentieuse.

Faut dire qu'elle s'appelle Monique et ne s'en est jamais formalisée.

Qu'à cela ne tienne, Lafontaine, c'est pas si mal. Limoges non plus, ça c'est sûr, mais, je veux dire, nous au moins, on n'a jamais attendu avec espoir le jour de notre mariage pour changer de patronyme, comme mon amie d'enfance, Sylvie *Cusson*, qu'on appelait *Son cul* dans la cour d'école. ◆

(Fiou, on change de sujet.)

Ninon, m'amie, je t'aime comme les framboises en juillet. Hum ! mais je m'attendris comme un jeune steak, moi ! Allons ! un peu de sérieux, que dis-je, de folie !

Quoi qu'il en soit, on en est à dresser le couvert dans le sous-marin – il faut spécifier que Ninon habite un sous-sol, un ancien carré à patates, pour dire vrai, et que tous les tuyaux de l'immeuble se rencontrent au-dessus de la table de cuisine ; on se croi-

rait dans *Voyage au fond des mers*, le capitaine Crane
excepté. D'autant plus que Ninon, loin de s'efforcer
de faire oublier la tuyauterie (mais comment pourrait-elle y arriver, sinon par hypnose?), a peint chacun d'eux d'un ton différent de bleu ou de vert. Avec
tous ses accessoires à l'avenant, c'est du plus bel effet.
Cette fille-là a un tel goût doublé d'un tel talent que
c'en est parfois tout à fait chiant.

Donc, nous dressons la table, dis-je, lorsque Dany
arrive. Elle est venue de sa banlieue natale (j'ai
nommé Laval) en auto-stop, comme d'habitude, et
elle nous fait, comme à l'accoutumée, un récit
exhaustif de l'existence du samaritain motorisé de sa
naissance à nos jours. Quand on sait qu'elle a dû passer un maximum de vingt minutes avec lui et que,
pendant ce trajet, c'est probablement de nous − de
Ninon, surtout, son idole − qu'elle a parlé, on se
demande quelle est la part de fabulation dans son
récit. Mais, comme dit Ninon, Dany, elle extrapole;
moi, j'exagère; et Patricia, elle explique.

Or donc, comme disait mon oncle Oscar quand il
racontait une histoire, voici ce que notre conteuse
nous narre, tout en nous aidant à disposer le couvert
(oui, je le sais que ça a été long, et puis après?)

− On pourrait appeler ça comme ça: Le drop-out
cultivé, conte pour les années 1990.

Il était une fois le jour de l'An. Je devais me rendre
à Montréal, où mes chumesses m'attendaient afin de
fêter le Nouvel An. Il faisait beau mais froid.

Avant de partir du Bellerive, un ancien building
de luxe sis sur le bord de la rivière des Prairies et
tombé quelque peu en désuétude depuis l'ère des
condos, je suis allée embrasser mon chum Sylvain,

qui dormait dans la pénombre de la chambre. Comme il travaille de minuit à huit heures et qu'il profite du temps des fêtes pour faire des heures supplémentaires, il était prévu qu'il ne se joindrait pas à nous pour fêter le Nouvel An, mais il vous envoie ses salutations les plus cordiales. Bien sûr, ça me rend un peu triste de l'avoir si peu souvent à mes côtés quand je sors, mais c'est la vie d'une conjointe de travailleur de nuit !

J'ai fait du pouce sur le boulevard Cartier. Un gentil jeune homme d'environ vingt-cinq ans m'a fait monter dans son vieux Charger jacké. Justement, il allait vers le métro. La conversation s'engagea sur nos activités respectives.

Quand il apprit que je poursuis des études en sociologie, plus précisément en psycho-sociologie de la communication, il me parla de Jung, de Marx et de Bettelheim ; la conversation dévia sur Beauvoir, puis sur la politique nationale : il cita Vallières, Bourgault et Trudeau dans le texte. Impressionnée, je lui ai demandé :

— En quoi étudies-tu, toi ?

Le jeune homme s'est mis à rire.

— Moi ? J'ai pas fini mon secondaire III !

Je me suis exclamée :

— Han ! sans joke !

Puis, maladroitement, j'ai dit :

— Pourtant, tu a l'air calé ! Heu... tu as un discours si cohérent !

— Oh ! pas besoin d'aller à l'école pour lire *Le capital*. Moi, je me suis vite rendu compte que c'était pas à la polyvalente que j'apprendrais le plus d'affaires. À la job, je m'implique dans le syndicat, je suis des stages de formation, je vais chercher les connaissances dont j'ai besoin là où elles sont.

La morale de cette histoire me vint quand il me fit descendre à Henri-Bourassa. Depuis ce moment, je n'arrête pas de songer combien je peux être naïve et aliénée par ma culture petite-bourgeoise.

◆

Au rythme où Dany perd sa naïveté, elle n'a rien à craindre, il lui en restera suffisamment pour toffer jusqu'en 2044. On finit de dresser le couvert (ça a dû nous prendre une heure, une heure et quart) et puis on attend Patricia (quoi de neuf à part ça ?)

Elle arrive tout énervée, bien sûr, s'excuse en quatorze exemplaires et demande si on lui a voté une motion de blâme. On l'assoit devant une bière froide (elle ne boit que ça, parce que ça fait prolo, j'en suis sûre) et on lui dit « vas-y, défoule ». Comme ça, elle sera du monde après. Et puis on a nous aussi une conscience sociale et politique, quand même.

— Il était déjà mort depuis longtemps.

Elle fait semblant de ne pas pleurer en se mouchant dans sa serviette de table en lin tissée à la main (ce qu'elle manque de classe, elle n'est pas sortable).

— On a tout raté, dit-elle, encore une fois, on n'a pas été assez vite, mais c'est si difficile d'agir à distance, on manque de moyens financiers…

Le plus risible, c'est qu'on a obtenu la grâce annuelle qu'un dictateur offre parfois à un condamné à mort. On était en train de fêter ça quand on a appris par téléphone qu'Enrique D. avait été tué dès le début de sa captivité. Et nous, on le cherchait depuis deux ans! Avoir su, on aurait peut-être pu obtenir la libération d'un autre condamné qui, à l'heure qu'il est, a été fusillé!

On lève silencieusement notre verre à Enrique D. et à tous les martyrs de la dictature, et il faut avouer qu'on est scandalisées comme des Bérets blancs. Dans le but de rafistoler l'atmosphère, Ninon propose qu'on se mette à table, déjà mise, on le sait, et, dégustant d'emblée les plats raffinés que notre hôtesse nous a concoctés, chacun servi dans l'assiette appropriée — le tout accompagné des vins correspondants dont Ninon nous a longuement décrit les qualités requises —, on écoute la cassette que Marc nous a envoyée. J'ai hâte d'entendre sa voix, mais, malheur! ça commence par un long prélude de musique indienne.

— Il était dans ce coin-là au mois d'août, nous apprend Ninon, qui est la seule à recevoir de ses nouvelles quand il parcourt le monde.

— Pis? lancé-je donc en guise d'introduction à la conversation (on ne va quand même pas écouter religieusement le prélude musical, on va attraper le syndrome de la mère Teresa). Ce genre d'apostrophes est banal mais, le plus souvent, ça marche du premier coup. Si ça ne fonctionne pas, alors, bien sûr, j'ai, dans mon kit de la parfaite mondaine, toute une panoplie de phrases engageant selon le cas des débats, des ébats, du commérage ou des palabres. Il m'arrive même d'être invitée à des soupers protocolaires ou excessivement familiaux, où des convives inconciliables risquent de ne trouver rien à échanger, juste pour tenir le rôle d'animatrice. Ces soirs-là, bien sûr, on m'offre gracieusement l'alcool; eh quoi, c'est bien normal qu'on fournisse le carburant, non ? (Évidemment, dans le cas présent, on se connaît depuis tellement longtemps que ça ne traîne pas : la conversation s'engage en moins de temps qu'il n'en faut pour dire « ragots ».)

J'ai rencontré Ninon dans un bar, il y a longtemps. Cette année-là, je faisais mon show au Lime Light : la direction avait demandé à quelques-unes de ses habituées les plus extravagantes (dont j'étais) de venir danser tous les soirs de neuf heures à minuit (en échange de bières gratuites, qu'on nous servait avec deux pailles, youpi !), histoire de réchauffer la piste de danse et d'attirer une clientèle bien spécifique de flyés en tout genre. On mettait à notre disposition une banque de costumes – qui auraient fait baver Hosanna d'envie – et on nous permettait de nous jucher sur les énormes haut-parleurs noirs, comme au temps de *Jeunesse d'aujourd'hui*. Le kitsch avant la lettre, les amies !

Un soir, scrutant l'horizon à la recherche de l'homme de ma vie, je remarquai une inconnue particulièrement flashante qui dansait seule dans un coin de la piste. À minuit, je descendis de mon piédestal et allai lui demander de se joindre à notre équipe d'exhibitionnistes. Elle accepta. Mon boss aussi, est-il utile de le dire, ultérieurement. Mais je l'avais dans la poche. Après tout ce qui s'était passé entre nous… (J'adore cette phrase, elle sème le doute sans rien confirmer et hop ! au bout de peu de temps fleurit une rumeur !)

C'est ainsi que nous passâmes quelques semaines à danser l'une en face de l'autre, jolies comme des figurines de coffres à bijoux, en cachette de nos parents qui nous pensaient en train de garder des petits crisses. Après, on foutait le camp chez Ben et on passait la nuit à rire comme des folles de la faune nocturne en buvant du café-cognac. Je l'abreuvais en outre des ragots les plus récents – et les plus véridiques, c'est que je prêche pour une information de qualité, moi ! – sur la faune et la flore du centre-ville.

Mais, au bout de trois mois, mon cher patron découvrit – au cours d'une descente mémorable où, hélas ! l'escouade de la moralité ne se laissa pas dérider par mon sens de l'humour – que j'étais mineure (n'exagérons rien, j'avais quand même dix-sept ans, à l'époque, et Ninon itou) et me flanqua à la porte, moi-même flanquée de Ninon.

Partager le même panier à salade, ça crée des liens. Désormais, entre Ninon et moi, c'était à la vie, à la mort. On ne se voyait pas souvent (nos parents respectifs – et ostentatoirement respectables – trouvaient que nous n'avions pas une très bonne influence l'une sur l'autre, et puis Tétreaultville, ce n'est pas à la porte d'Ahuntsic), mais, en août suivant, au cégep de Rosemont (où j'avais été acceptée en lettres au troisième tour, par la peau des dents, et Ninon en sciences humaines, haut la main comme de raison), on se retrouva définitivement.

Quelques années et beaucoup de cours coulés plus tard, alors que j'avais commencé une ardue carrière de rédactrice à la pige, j'obtins à la dernière minute un contrat pour une émission humoristique (la GRC interdit de révéler comment j'y arrivai, mais je dirai simplement que c'était la première fois que je négociais des conditions de travail dans des toilettes de bar – mais non, ne pensez pas croche ! pensez illégal) qui allait me forcer à passer les trois semaines suivantes à Québec.

Malheur ! justement, une revue hebdomadaire éminemment branchée, que je poursuivais de mes acides CV depuis des mois, venait de m'inviter à aller passer une entrevue pendant ces jours-là ! Le genre de chance qui ne passe qu'une fois par réincarnation !

Maudissant ma malchance, je m'arrêtai chez Ninon en passant. (Nous avions toutes deux quitté père et mère pour nous installer à l'aise, elle dans un trois et demie de Villeray — où elle est toujours, d'ailleurs, et vous aussi puisque c'est là qu'on se trouve en ce moment et que vous nous accompagnez — et moi pour une piaule du Plateau que j'ai quittée depuis longtemps.) Je lui parlai de mon conflit d'horaire.

— Je vais la passer à ta place, l'entrevue, me dit Ninon.

C'était fou. Ça me plut tout de suite. Je passai donc le reste de la soirée à lui raconter le peu qu'elle ignorait de ma vie, longue quête de Graal (je parle de Roméo Graal, le chimérique prince charmant), qu'elle apprit par cœur (la pauvre !) et m'en allai rédiger des farces plates l'âme en paix : j'étais entre bonnes mains.

Elle passa l'entrevue avec brio, et je fus engagée. Pendant quelques semaines, je postai mes textes, histoire de faire oublier à mes employeurs qu'ils avaient engagé une grande rousse aux yeux bruns. Quand ils me virent finalement arriver en petite brune aux yeux bleus, il était trop tard : mes chroniques faisaient déjà fureur. D'ailleurs, ils la trouvèrent bien bonne.

Mon métier, c'est ma vie (particulièrement quand je n'ai pas d'amant). Ninon m'a donc mise au monde une seconde fois, ce qu'elle nie farouchement en ajoutant : « Si j'avais su que tu me casserais les pieds pour le reste de mes jours avec ta maudite gratitude, je ne l'aurais pas fait, fatigante ! » Ninon, je t'aime.

Quant à Marc et aux filles, je les connais par son entremise, mais il y a longtemps qu'on a fondé une confrérie : les chumesses de Ninon.

Mais où en était ce récit avant ce petit détour, que dis-je, cette succession de courbes raides ? Ah oui ! Je disais :

— Pis ?

— Moi, répond Dany, ça va superbien. J'ai un chum extraordinaire.

— Écœure le peuple, bougonné-je.

Ça fait des millions d'années que je n'ai pas pu me vanter d'avoir un chum qui ait du bon sens. Oh ! j'ai bien quelques amants occasionnels, quelques prospects éventuels — et des tas d'ex, dont peu peuvent se vanter d'avoir une bonne cote dans ma mémoire —, mais j'attends Mon Chevalier Servant, moi, flûte ! Celui qui fera chavirer mon cœur en plus de faire tomber mes jarretières, celui grâce auquel je ne verrai plus clair, celui duquel j'aurai des tas de petits rapporteurs et de petites écornifleuses. (Façon de parler : les enfants, je les apprécie surtout sur les calendriers !)

— Extraordinaire, vraiment ? susurre dédaigneusement Patricia, pour qui un homme est un mal superflu, alors que pour nous, misérables hétéros, il est un mâle nécessaire. Et pourquoi donc ?

— Parce qu'il est jamais là, pouffé-je dans ma salade d'avocat.

Patricia m'accorde un sourire bienveillant.

— Parce qu'il m'aime comme je suis, répond Dany tout simplement.

– Eh bien compte-toi chanceuse, ma chère, et laisse-moi boire à ton bonheur, dis-je sincèrement, quoique passablement jalouse, en levant mon verre.

– Toutes les raisons sont bonnes, hein, Joanna ? ricane Ninon sans en avoir l'air.

Je lui tire une langue rouge vin et rêche comme celle d'une chatte.

– Car, poursuis-je, je vous avouerai que, pour ma part, les gars se succèdent infiniment plus vite dans mon lit que dans toute autre partie de ma vie... Cette phrase est boiteuse, conclus-je dans des rires que je considère, ma foi, comme insultants.

Et je me verse une bonne rasade de rouge. Il y a un silence. Je soupire :

– Ah ! le sexe !

Rien de tel que de prononcer ce mot à brûle-pourpoint – et à brûle-bobettes, tant qu'à y être – pour susciter une réaction quelconque où que vous vous trouviez, c'est garanti. C'est votre chroniqueuse mondaine, Joanna Limoges, qui vous le dit. Au pire, entre femmes, ça provoque des conversations scabreuses et vaginocrates, au mieux, ça vire à l'orgie et, alors, ça dépend avec qui.

Cette fois-ci, Ninon se met à rire.

– Il me semble avoir déjà entendu ce mot, ça me rappelle vaguement quelque chose, de dire ma belle amie.

– Ma pauvre, ça fait si longtemps que ça ? déplore Patricia.

– On sait bien, toi, m'insurgé-je pour Ninon, tu as les lignes de piquetage pour t'alimenter en prospects ! Mais nous, nous...

– Oui, nous, les pauvres mortelles célibataires ordinaires, ajoute Ninon.

— Ordinaires ! hurlé-je. Ninon Lafontaine, va donc chier ! Si toi tu es ordinaire, qu'est-ce que nous autres on est ?

Et c'est alors que Ninon, baissant les yeux, soudain apparemment très affairée à chipoter dans ses épinards aux œufs gratinés, m'assène la Révélation numéro deux (il faut dire que j'ai une longueur d'avance sur les autres, ce dont je ne suis pas peu fière).

— Oh ! moi ! Moi… je ne sais pas trop pourquoi ça marche jamais. On dit souvent que pour rencontrer un homme, il faut commencer par s'apprécier soi-même, et moi… je ne m'aime pas.

Stupéfaites, on la regarde et on ne trouve absolument rien à répondre : c'est trop aberrant.

— Je ne sais pas ce que j'attends de la vie, élabore cette espèce de grande andouille. Vous autres, vous êtes si vivantes, si… intégrées. Je vous envie beaucoup. Je me trouve très poche.

Alors là, on hurle. Les trois ensemble, à l'unisson, ça donne :

— Es-tu-n'est-pas-folle-ben-malade !

On s'entend sur l'essentiel. Puis on dit, en chœur encore :

— Tu es ma meilleure amie !… Non, la mienne !

On éclate de rire. On a l'air de maris jaloux.

— Ninon, plaidé-je, tu es pourrie de talents, tu réussis tout ce que tu entreprends, tu es belle comme un cœur !

— Tu serais née à temps pour participer à la Révolution tranquille que tu serais première ministre, soutient pour sa part Patricia.

— Ouan, mais justement, c'est trop tard, dit-elle avec une déprimante justesse. Et c'est probablement trop tôt pour autre chose. Les horizons sont bouchés, les relations n'ont plus d'allure, tout le monde court en tous sens pour se faire une petite vie pas trop inconfortable... Je me sens complètement étrangère dans ce monde-là. Je me sens démodée. Non, pas démodée, mésadaptée.

Et puis, de toute façon, il y a plein de gens qui font des tas d'affaires, par les temps qui courent, qui créent, qui essaient de faire avancer l'art et le reste, mais, moi, personne ne connaît mon nom.

— Les postmodernistes, affirme solennellement Patricia.

— Et ceux qui essaient d'expérimenter des choses, tout en sachant fort bien qu'ils ne passeront jamais à l'histoire autrement que comme des éléments de transition entre la grandeur de la société industrielle et le prochain Moyen Âge, font rire d'eux. Évidemment, puisque leurs juges sont aussi leurs compétiteurs...

C'est ce que je vous disais : Ninon, quand elle finit par ouvrir la bouche, tout se place miraculeusement en perspective et on comprend tout.

Comme si Dieu existait, c'est ce moment que choisit la maudite musique indienne pour laisser entendre la voix de Marc...

— *Ninon. LÀ. C'est le qualificatif le plus représentatif de son existence. Stable. Immuable. Le point de repère. Tu fais le tour du monde, tu changes de blonde, tu te gèles la gueule, tu te casses la gueule, quand tu ne sais plus où tu es, ni même qui tu es, Ninon est là. Un vrai phare. Depuis que je la connais, elle évolue en restant toujours la même. Déjà, à la polyvalente, elle était comme ça, comme un port d'attache dans mon existence d'adolescent boutonneux tourmenté. Depuis, chaque fois que je me* retrouve comme un naufragé à la mer entre deux idées fixes, c'est vers elle que je vais.

Maintenant que j'observe cette foutue planète sous tous les angles (vais-je finir un jour par vraiment l'avoir vue sous tous les angles?), je me rends compte que c'est Ninon qui m'a appris à ne jamais prendre un paysage pour acquis. Il y a toujours une autre manière de regarder. Ninon, c'est la terre ferme, le home, la pyramide. Non, le sphinx, tiens, qui domine le monde de son regard de félin, qui connaît la solution aux énigmes. Ninon, elle voit à travers toi. Tsé, l'univers? Tout tourne sur soi-même autour de quelque chose; moi, je pense que ce quelque chose-là, c'est Ninon. Ninon, c'est Dieu, tiens!

Là, la musique recommence de plus belle, mais on applaudit quand même.

Le beau Marc, voyez-vous, est le premier de nous quatre à avoir connu Ninon, au secondaire, dans une activité de canot-camping. (Mais j'y pense: ça, ça veut dire qu'il savait le vrai nom de Ninon depuis toujours et qu'il ne me l'avait jamais dit, même sur l'oreiller! L'immonde pourceau! Enfin.) Même que si vous voulez en savoir plus, je vous révélerai (ce que je peux aimer ça!) qu'ils ont été l'un pour l'autre premier-première. Pas de vrais amants, par exemple, ça non, ils étaient trop jeunes. Enfin, ils auraient bien pu; de nos jours, il n'y a plus de limite d'âge, et puis de toute façon on n'a jamais eu besoin de carte d'identité pour baiser, quoique avec tous ces charmants virus qui se promènent dans la nature, ça pourrait bien finir par devenir une mode, mais c'est une autre histoire. Non, eux, ils se sont contentés de découvrir les joies du «tour du pot». Imaginez le contexte: vous avez quinze ans, vous êtes dans le bois pour la fin de semaine, vos parents sont loin, vos animateurs sont cools, les aurores boréales jouent au Spirographe au-dessus de votre tête et vous vous offrez la première partie de caresses de votre vie. Ça crée des liens ! Plus tard, entre deux couples, ils ont fini par faire l'amour comme des adultes, mais cela ne représentait que la conclusion logique d'une belle aventure de jeunesse. Depuis, ils sont les meilleurs amis du monde.

Moi, j'ai rencontré Marc par l'entremise de Ninon, bien sûr, qui me l'avait offert en pâture le jour de mes vingt ans parce qu'elle n'en pouvait plus d'entendre mes jérémiades de chatte de ruelle. J'avais d'ailleurs trouvé ça très original, comme cadeau de fête. Mais ça n'a pas duré. Il commençait son baccalauréat en agro-économie à l'Université Laval, dans le temps, et ne descendait de Québec qu'une fois ou deux par mois. Et puis j'avais tellement d'autres chats à fouetter, qui ne demandaient d'ailleurs que ça !

Marc, il tapait un peu sur les nerfs de Pat quand ils se sont connus. Faut dire que la masculinité lui donne généralement de l'urticaire, à la mère Patricia. Et puis il la trouve baisable et elle le sait, c'est ça qui la fatigue. Il ne lui a jamais dit, ça non, il tient à son nœud papillon. Mais c'était dans l'air à un moment donné. Patricia n'en a jamais parlé, et elle a fini par s'habituer à lui, surtout parce que Marc n'est jamais à Montréal assez longtemps pour que ça finisse en duel. Dans le fond, ils s'aiment bien ; ils ont simplement une relation un peu... bourrue, disons. C'est pas comme entre Marc et Dany : elle a toujours tripé sur les bums de bonne famille. Sylvain, son dulciné, et Marc s'entendent d'ailleurs comme cul et chemise.

Bref, tout ça pour situer Superman dans le tableau de famille. Mais voilà que Dany renchérit, en parlant de notre hôtesse chérie comme en son absence, histoire de lui remonter le moral, qui semble piquer du nez vers des profondeurs abyssales (pas notre amie, son moral) :

— Titrons ça : La bavarde et la confidente, conte pour l'âge tendre qui s'attarde.

Il était une fois une jeune fille qui allait s'inscrire à l'université. Au hasard des dédales de la bâtisse, j'ai rencontré une ancienne copine de cégep, qui avait été acceptée une session avant moi en PSC. Elle m'invita à visiter le local étudiant du module. Comme j'avais envie de connaître des gens partageant mes goûts et intérêts, j'acceptai.

Dans le local, il y avait quelqu'une, une fille habillée de manière très particulière. Ce n'était pas une beauté, mais la nature l'avait dotée d'un visage très spécial. Son regard, surtout, attirait l'attention : elle vous fixait droit dans les yeux quand vous parliez.

Elle était en train de recouvrir une boîte à chaussures avec de l'emballage à cadeau — elle bricolait une boîte à suggestions pour les activités étudiantes. Ma copine me dit en catimini : « Ça, c'est Ninon, une étudiante libre. C'est une fille qui a du talent en tout, c'est sidérant. Elle écrit, dessine, chante, danse, c'est incroyable. »

Ninon me salua. Elle n'avait pas l'air timide mais elle ne parlait pas beaucoup. Je commençai à l'entretenir du bac en PSC, qui m'intéressait follement, de mon chum informaticien que je qualifiai de bum romantique, de notre logement avec vue imprenable sur la rivière des Prairies ; je lui racontai la mort de mon père. Je relatai mon travail en garderie familiale, que je venais d'abandonner parce que je m'attachais trop aux enfants. Je racontai comment j'aimais raconter les autres et comment je n'aimais pas parler de moi, parce que ça ouvrait plein de portes de garderobes remplies de monstres déguisés en papas. La fille ne disait toujours rien, mais, au bout de quelques minutes, je me suis rendu compte que j'étais ensorcelée : j'étais carrément en train de lui raconter ma vie. Et la fille, elle, ÉCOUTAIT. En fait, je n'avais jamais connu quelqu'un ayant une aussi grande qualité d'écoute.

C'était Ninon.

Un préjugé favorable envers quelqu'une d'inconnue nuit parfois autant qu'une mauvaise opinion. Mais depuis que je la connais, je n'ai jamais été déçue. Le charme continue d'agir. La potion est à base de compréhension, d'amour, d'intelligence et d'énergie. Comme si cette sorcière possédait le secret du mouvement de l'atome, apparemment immuable, mais dont le tourbillon superdense est intérieur. Brûlant, comme le noyau du monde.

La morale de cette histoire, c'est Marc qui l'a apportée : Ninon, c'est la maison. La planète mère... Dieu la Mère !

◆

Chère Dany, avec ses grands yeux d'ingénue. On peut dire qu'elle a la vie facile, celle-là. Un chum steady plein d'amis charmants, bourré d'idées pas piquées des vers, plein aux as. (Enfin, tout est relatif, mais, je ne sais pas comment il fait, il a toujours de l'argent dans les poches – moi aussi, je l'admets, mais vous n'avez pas vu mes cartes de crédit !) Et fou

d'amour, comme si ce n'était pas assez. Un personnage inventé. Pour payer ses études à une fille, il faut
être sûr que tu ne vas pas la laisser la semaine prochaine, tsé veux dire! Chez eux, la maison est toujours pleine de monde, ils ont des tas d'activités enlevantes et ils reçoivent les circulaires de tous les
restaurants du quartier qui font la livraison. Ça
n'arrive qu'aux autres. En d'autres termes, oui, oui,
vous avez bien compris, je crève de jalousie.

Pour dire la vérité, Patricia et moi, au début, on se
demandait franchement si elle ne jouait pas les
nouilles, la jolie Dany. C'est bien beau de voir la vie
en rose nanane sucé longtemps et d'imaginer tout le
monde en forme de gros nounours mais, à un
moment donné, ça suffit, le bonheur galopant!

Cependant, il a bien fallu se rendre à l'évidence:
Dany, elle est comme ça. En dentelle et en running
shoes. Ou en queue de cheval et en pantoufles de
vair, c'est selon. Entre cinq et quatorze ans. Une vraie
de vraie idéaliste! En fait, je suis sûre que ça cache
quelque chose, vous savez, ce genre de secret inviola-
ble qu'on n'a pas le droit de fouiller, enfoui creux
creux dans le fond d'une mémoire d'enfant.

Alors, dites-moi, comment ne pas adorer une fille
comme ça, et avoir le goût de la prendre sous son aile
comme un petit poussin? Ne demandez surtout pas à
Patricia…

Justement, c'est son tour, à celle-là. Pendant que
nous chipotons dans les plats de service à la recherche d'une miette de salé pour savourer davantage le
reste du vin, elle nous harangue ça, façon tract, avec
les mêmes mots que d'habitude, dont elle modifie
l'ordre selon les besoins.

– C'est une farce, Patricia, dépose immédiatement ce plat de service !

– NINON LAFONTAINE OU L'INTÉGRITÉ ! lance-t-elle en levant le poing.

On ovationne. Puis elle enchaîne.

– Moi, voulez-vous que je vous dise comment j'ai rencontré Ninon ? C'était au cours d'une réunion féministe comme les autres, apparemment, avec ses grands objectifs, ses bonnes intentions et ses chicanes de corde à linge. Nous n'avions qu'un point important à l'ordre du jour : le jugement de la Cour suprême statuant sur l'avortement. Alors que nous nous étions préparées au pire, pour une fois, nous avions gagné. Dans l'après-midi, nous avions appris que l'avortement n'était plus un crime au Canada, et les visages arboraient des sourires vaguement ahuris.

Je remarquai, dans un coin de l'assistance, une jeune femme que j'avais déjà vue au Comité-Femmes, à l'occasion, quand l'heure était grave. Après la réunion, la plupart des participantes allèrent prendre une bière au bar de femmes, pas très loin de là. J'invitai Ninon à se joindre à nous. C'est ainsi que je fis sa connaissance et que j'élargis mon horizon.

J'ai toujours eu une vision un peu radicale du militantisme.

– On n'avait jamais remarqué, dis-je, goguenarde.

– Je croyais qu'il y avait les bons et les méchants, les activistes et les autres, reprend Patricia. Mais, en rencontrant Ninon, je me suis rendu compte que, à l'écart de tous et toutes ces faux et fausses militants et militantes apparemment engagés et engagées, qui clament leur farouche appartenance à un groupe et s'affichent ostensiblement dans les

assemblées générales, qui votent des moyens de
pression et d'action, mais qui disparaissent quand
il s'agit de s'engager ; à côté de ceux et celles qui
appuient toutes les revendications sans discerne-
ment et qui épousent les causes comme on suit la
mode, certaines personnes plus discrètes préfèrent
poser des réflexions théoriques sur des vrais problèmes ; celles-là ne brandissent des pancartes et
n'affirment leurs opinions qu'après avoir mûre-
ment pesé le pour et le contre, après avoir été
chercher des opinions éclairées, afin d'élargir le
débat et elles tentent d'abord, avant de « sauver le
monde », de commencer par cesser de reproduire
des comportements appris.

Une personne de ce genre, j'en connais une (pas
deux !) : son nom est Ninon Lafontaine !

Ninon Lafontaine n'est pas superficielle !

◆

Un peu plus et on fonde une secte. Mais Ninon
n'a pas l'air d'apprécier le fait d'être une sainte. Elle
se lève pour desservir la table, on l'aide, puis on
demande l'ajournement du dessert, parce qu'on se
sent comme des petites Gretel qu'on aurait gavées
dans le but de cuisiner notre chair fraîche, et on passe
au salon.

Mais qu'est-ce qu'elle a, Ninon Première ? Le vague
à l'âme ? À l'homme ? On dirait qu'elle a perdu un
pain de sa fournée.

Ninon n'a jamais été du genre bavarde ou excitée
(ça me laisse toute la place, c'est parfait). Ça ne
l'empêche pas d'aimer rire, danser et boire, de possé-

der un sens de l'humour aiguisé, et d'observer tout le monde avec acuité. Elle en est quasiment fatigante, pour tout dire, car rien ne lui échappe, et elle a une mémoire de disque dur.

Le problème, c'est que, des fois, on a tendance à l'oublier, comme une plante qui ne demande pas beaucoup d'eau. Bon, il va falloir que je m'occupe de tirer les confidences de son joli petit museau picoté.

Mais je n'ai pas le temps de faire part de mes angoisses, voilà que Patricia continue sur sa lancée et poursuit le discours qu'elle tient CHAQUE FOIS que je la vois. Elle veut une job dans son domaine, c'est pourtant simple, un emploi valorisant, moyennement payant, régulier mais pas trop, un emploi qui existe, elle le jure, mais qui appartient pour l'instant à un ou à une quelconque salopard ou saloparde de baby boomer installé dans le confort et la sécurité d'emploi jusqu'à ce que R.R.Q. s'ensuive.

Si seulement elle pouvait arrêter de nous dresser des profils sexo-socio-politiques pour plutôt nous parler d'elle, de temps en temps! Est-ce que je parle d'autre chose que de moi, moi?

Patricia, quel cas! Généreuse comme mille quêteux mais pauvre comme une néo-Québécoise monoparentale handicapée; intelligente comme une Simone doublée d'un Jean-Paul mais révoltée comme un ghetto au grand complet; et gentille comme une grand-mère, mais stressée comme une centrale nucléaire.

On s'est tout de suite bien entendues, quoi! Et c'est curieux, mais c'est surtout quand on a parlé de cul. Bien sûr, elle me trouve aliénée comme le rapport Hite (son contenu, pas son approche), et j'ai le culot d'être persuadée d'avoir un point G, ce qui, en partant, est un bien mauvais point pour moi, sans jeu de mots !

Mais Patricia aime le cul (à l'entendre, elle possède le plus gros clitoris d'Amérique – et proportionnellement, le plus petit sens de l'humour). Et je la crois. Pis je l'aime bien, à part ça. Chère vieille chose. Mais des fois, je voudrais que Dany soit un peu moins innocente et que Pat soit un peu plus conciliante (quoique, pour dire la vérité, j'adore l'embêter, ce que je m'empresse d'ailleurs de faire).

— Ben oui, Patsy, que je dis, on est TOUTES pognées comme ça, on est toutes des surnuméraires – temporaires – temps partiel – contractuelles – pigistes – précaires, on est nées dans les années soixante, que peut-on y faire ?

Elle devrait écrire un livre : *À la recherche de la génération perdue*. Bon, c'est le gâteau qu'elle veut me lancer, cette fois.

Il y a un silence. Sonnez l'alarme, larguez les amarres, fermez les écoutilles, silence droit devant !

C'est le moment que votre serviteure, l'incontournable Joanna, choisit pour sortir un petit joint tout ce qu'il y a de plus illégal (ce qui consiste déjà en une bonne partie de son charme, et ça tombe bien puisqu'il est minuit et que c'est l'heure du crime) du fond de sa manche, à l'évidente approbation de la présente assemblée féminine. Je lèche le joint d'un bout de langue pointé, tactique séductrice et éminemment sensuelle, comme le savent tous ceux qui y ont succombé. Ça n'impressionne guère mes chumesses, évidemment, qui me niaisent d'ailleurs de belle manière. Quoi qu'il en soit, je procède au rituel : celle

qui paie la poffe allume le joint, entourée des initiées
attendant leur tour dans le recueillement. Le joint est
passé, lentement, tandis qu'un silence de communion
s'abat sur nous comme une neige douce. Le temps
ralentit, le coquin, histoire de nous tromper.

Et, une fois le joint fini… c'est le délire. Dany
enlève sa jupe, asphyxiée. Tant qu'elle y est, et encou-
ragée par nous toutes, la voilà qui retire aussi ses sou-
liers, ses bas et ses bobettes, pendant que Ninon, sai-
sissant sa guitare, joue *Patricia is the best stripper in town*
(ce qui a toujours l'heur de faire enrager notre Patricia
à nous, mais qu'elle endure!). Le soutien-gorge de
Dany, qu'elle a retiré par sa manche, prend également
le bord pour aller s'enrouler autour du cou de Ninon,
morte de rire. On tape des mains, on crie comme des
vrais machos. Dany se prend au jeu et envoie voler
sa chemise. Elle se retrouve sous une pile de coussins,
puis de nous, couvrant son corps de ses vêtements,
mues par une fausse – ô combien fausse – pudeur.

Ça a marché, qu'est-ce que je disais?

– Bon, on passe aux résolutions du Premier de l'an?

Panique à Villeray. Qu'est-ce qu'elles croyaient,
qu'elles allaient y échapper? Que non! Mais, pour
partir le bal, je veux bien parler en premier.

– Moi, cette année, je veux…

– ME TROUVER UN CHUM! finissent pour moi mes
zamies.

C'est ce qui arrive quand on se connaît depuis trop
longtemps. Pas moyen de faire un punch.

– Comment avez-vous deviné? sussuré-je, mi-
figue, mi-raisin. Mais, cette fois-ci, ce sera le bon.
Finies les histoires de fous avec n'importe quel
imbécile ramassé au hasard d'une soûlerie, cette

fois-ci, je veux rencontrer un gars sérieux, qui me convient...

— Sérieux et qui te convienne, ce n'est pas pour te contrarier, mais j'y vois une antithèse, dit Patricia.

— Oui, bon, d'accord. Pas trop Schtroumf à lunettes ; juste assez délinquant ; un gars capable de folies quand c'est le temps et de recueillement à d'autres moments. Et qui baise bien, bien sûr.

Ninon hausse les épaules.

— C'est quoi, bien baiser ?

— C'est faire l'amour comme j'aime, tout simplement.

— Sainte Marie mère de Dieu, souffle Patricia, protégez l'innocent qui va lui tomber entre les mains !

Niaisez-moi donc.

— Moi, dit Dany, je suis sûre que l'homme de ses rêves sera comblé.

Brave Dany.

— Comblé, s'esclaffe Patricia, ce n'est pas le mot ! Repu, plutôt, rassasié, que dis-je, abreuvé jusqu'à plus soif !

— Et toi, la fin finaude, bougonné-je, quelle est ta résolution ?

— En sauver au moins un, répond-elle, laconique. Ça fait deux ans que je suis bénévole pour Amnistie et j'ai perdu toutes les causes dans lesquelles je me suis engagée. Avant de clore cette partie de ma vie, je veux sauver au moins un prisonnier — ou une prisonnière — politique. Après, je veux me trouver un travail...

Dans ta branche, oui, ça va, on le sait.

— Marc va s'en sauver, dis-je, railleuse, on ne connaîtra jamais ses résolutions.

— Pas vraiment, dit Ninon en sortant une lettre de sa poche.

On se prépare un refill pendant qu'elle nous fait la lecture.

(Reçue le 30 décembre)

Anzio, 10 décembre

> *Lettre à mon amie d'ici (puisque c'est moi qui suis ailleurs).*
> *Bonsoir, ma douce amie !*
> *La nuit est très belle, aujourd'hui, mais un peu fraîche, comme elle l'est toujours en hiver sur le bord de la Méditerranée.*
> *Derrière moi, juste dans mon cou, un lion essoufflé fait de la buée autour de ma tête. Je me sens comme le petit Jésus entre le bœuf et l'âne, et ça me fait penser que je ne serai pas chez nous à Noël. Bof ! pour dire la vérité, ce sont pas les rituels judéo-chrétiens qui me manquent comme les bancs de neige, tsé !*
> *Ça m'a donné envie d'écrire à ma fidèle complice, solide et immuable comme les pôles. Tu es bien la seule dont je m'ennuie. Les autres, le reste… Je peux toujours les trouver ailleurs.*

— Celle-là, Auger, je te la revaudrai, dis-je en serrant les dents.

> *Mais toi, j'ai besoin de toi, mon unique ! (Ce qu'on en dit, des choses, dans une lettre, qu'on n'avouerait jamais de vive voix, parce qu'on ne trouverait pas les mots !)*
> *Anyway. Comment peut-on avoir envie d'écrire quand une bête féroce rôde aux alentours, tu te demandes ? Non, ma dernière heure n'est pas arrivée… C'est parce que, vois-tu, j'avais besoin d'argent et puis je me suis trouvé une job… de garçon de piste dans un cirque italien ! Ça consiste à ramasser la merde de*

poney après que la belle cavalière a fait son tour, à nourrir les animaux deux fois par jour, à monter les cages pour le spectacle des fauves… Ce que je faisais à Saint-Hyacinthe quand j'étudiais en technique vétérinaire, quoi, mais avec des boas plutôt qu'avec des lapins !

C'est payé un salaire de crève-faim, mais c'est exactement ça que je suis, ces temps-ci ! Un petit problème qui sera vite résorbé. En attendant, je suis logé, nourri, je couche au chaud à côté du Roi des animaux, et je pratique mon italien. Parlant de bêtes sauvages, j'ai dompté la dompteuse, aussi, à moins que ça ne soit le contraire…

Je ne perds pas de vue que ce voyage en est un d'agrément et de réorientation. Eh oui, mon tourment existentiel habituel : travailler, poursuivre mes études, tout lâcher et ne jamais revenir, retourner végéter au Québec ? J'entends Patricia d'ici : « Des problèmes de riche ! »

— Il lit dans mes pensées, ricane Patricia.

Quoi qu'il en soit, il est temps que je me branche, tu me l'as assez dit quand je suis parti.

Tu recevras un petit paquet avec ma lettre. C'est marqué dessus qu'il ne faut pas l'ouvrir avant la lettre, et pas davantage avant le premier du mois prochain. Promis ? C'est parce que ce n'est pas un cadeau juste pour toi. C'est une cassette, tu l'auras deviné au toucher, mais je veux que tu la fasses jouer rien qu'à ton traditionnel souper du jour de l'An, quand tu seras avec les filles. Comme ça, vous aurez l'impression que je suis un peu là avec vous autres. Passez de joyeuses fêtes. Et faites un bonhomme de neige en pensant à moi !

Marc

— Autrement dit, il veut se caser, conclus-je.

— Je le croirai quand je le verrai, affirme Patricia, sceptique.

J'appuie.

— Et toi, Dany? m'exclamé-je. Ta résolution?

— Qu'est-ce que je peux demander de plus à la vie?

C'est un fait.

— Je veux continuer à cultiver mon bonheur comme un jardin précieux.

Bon, ça va, n'en jetez plus, la cour est pleine, on se croirait dans un courrier du cœur.

— Ninon, c'est à ton tour.

Ninon aspire et soupire comme Éole une journée d'orage.

— Avant il faut que je vous avoue quelque chose, les filles.

Chic! une confidence!

— J'ai écrit un livre.

Quel livre? Wô! minute, j'en ai manqué un bout, rewindez d'une couple de mois! Quel livre? On m'a tu des choses? Qu'est-ce que c'est que cette cachotterie? Je proteste énergiquement: c'est une imposture, un scandale! J'en appelle au droit à l'information... comment, «ta gueule, Joanna?». Je suis vexée.

Et Ninon nous révèle qu'elle a écrit un roman, SANS LE DIRE À PERSONNE! l'an dernier et qu'elle l'a posté tantôt, en ce premier jour de la nouvelle année.

On lève notre verre, on crie, on rit, on l'embrasse, on lui pitche du sel (à défaut de riz, comme font les Français). On lui fait la bascule, *let's go*, les filles, on lui fait la bascule. Comment «les nerfs, Joanna?».

Je suis vexée, vraiment. Je ne me suis aperçue de rien, comment ça se fait?

— Tu étais trop occupée à me raconter tes incroyables aventures, me répond Ninon, tu n'écoutais pas mes silences.

Mets ça dans ta pipe pis fume, tsé veux dire ? Mais Dany, notre Don Quichotte sans Rossinante, prend ma défense. Brave Dany, je m'en souviendrai.

— Moi non plus, je n'ai rien vu de différent dans ton attitude. Et Patricia pas plus, à ce que je vois ?

Patricia hoche tristement la tête. On se sent soudain coupables. Ouan, pas reluisant comme preuve d'amitié… Ninon nous regarde bad-triper et elle rit. Elle rit, la bougresse ! Tu parles d'une hôtesse, toi !

— Ne le prenez pas comme ça. Je ne vous ai pas donné beaucoup d'indices. Je ne voulais pas en parler. J'ai tellement peur…

Peur de quoi, franchement ! Elle a sûrement écrit le prochain prix Nobel et elle a peur. Non mais.

— Qu'est-ce que ça raconte ? demande judicieusement Dany.

— Vous autres.

L'art du punch. Cette fille-là a dû écrire un thriller. À propos de nous ? Mais non, c'est nous qui parlons des autres, il n'y a rien à dire de nous, qu'est-ce que c'est que cette histoire ?

— C'est l'histoire d'une gang de commères…

Calomnie !

— … qui aiment le monde et qui y vivent avec une aisance que la narratrice envie.

Protestations. Partagées, celles-là, par mes petites copines. Ah ! toujours !

— Quelle aisance ? argue Patricia. Nos vies ne sont pas plus faciles parce qu'on a des certitudes.

— Mais je vous les envie beaucoup.

Elle recommence. On n'avait pas clos le sujet au plat principal ? Nous, on n'est pas grand-chose, toi, tu es au boutte. C'est clair. On n'en parle plus.

— Non, Joanna. Je ne vois jamais personne. Je ne vis pas dans votre monde. Dans votre monde d'effervescence, de trip urbain, de cinq à sept, de cocktails, de manifs, de vrai monde. Je suis très seule.

— Mais tu nous as ! hurlé-je.

— C'est exactement ce que je disais, Joanna.

Deux-zéro.

— Tu parles vraiment des causes de Patricia, des partys de Joanna, des gens que je rencontre ? dit Dany.

— C'est ça.

— C'est fantastique ! Toutes les histoires que je t'ai racontées...

— Je peux lire le post-scriptum de la lettre de Marc ? demande Ninon.

Je bondis.

— Attends une minute. Tu veux dire que tu racontes nos vies ? Réponds !

— Heu... oui.

— Tu nous vampirises, Ninon Lafontaine ! Je veux des droits d'auteure ! Tu nous voles nos âmes, c'est indécent !

— Assis-toi, Joanna Limoges, qu'on me répond, ça fait trois ans que c'est ta job à plein temps, la vie des autres, ça fait que tsé...

Trois-zéro. Ce n'est pas ma journée. Remplissons plutôt ces dés à coudre (je n'ai jamais compris pourquoi les verres à digestif ont des dimensions millilitriques). Ninon prend la lettre de Marc et nous lit le post-scriptum qu'elle nous avait tu, LA CACHOTTIÈRE !

P.S. J'ai très très hâte de lire ton livre. Je suis sûr qu'il va te ressembler : il va être tout en velours, solide et sombre, il va séduire et intriguer.

— Il risque d'être surpris, dit-elle en souriant aux anges.

Je suis aussi très étonné que tu y parles de moi… Je n'aurais jamais pensé être un personnage de roman… C'est un récit d'aventures ? Ou alors un essai sur l'errance ? Bof, je verrai ça quand je rentrerai.

> *Marc*

— Il parle de rentrer ! murmure Ninon.

Je n'ai pas besoin du regard courroucé de mère Patricia pour me la fermer. Il faut spécifier que Marc a toujours eu la bougeotte. La stabilité l'achale. Au bout d'une minute, je jette un regard à Patricia, qui m'accorde enfin le droit de parole d'un signe de tête.

— Yahoo ! C'est au boutte ! Je vais t'organiser un de ces lancements, ma chère, dont on se rappellera encore dans nos vies prochaines. Ça va péter le feu, les filles, c'est Joanna Limoges qui vous le dit.

— Je n'en attendais pas moins de toi, me dit Ninon en m'embrassant. Ce qui m'amène à ma résolution… si mon roman ne trouve pas preneur, j'arrête d'essayer. J'arrête de « faire de l'art ».

On se retourne, estomaquées.

— La multidisciplinarité, c'est bien beau, mais ça ne mène à rien. Ce qui marche de nos jours, c'est se livrer corps et âme à une affaire pendant un certain temps, et puis se trouver un contre-emploi : dentiste-humoriste ; sociologue-chanteur ; policier-mécène. Et comme je ne sais toujours pas si ma vocation, c'est artiste ou commis de bureau...

— Tu as tous les talents ! que je hurle.

— Va dire ça à un subventionneur, ironise-t-elle. Et c'est ça, le plus gros problème, dans cette société : c'est qu'en plus d'avoir du talent, il faut devenir spécialiste en marketing, et ça me pue au nez. Tout ça pour obtenir des fonds négligeables et extrêmement contrôlés, ou alors des emplois sous-qualifiés.

À qui le dit-elle ! Il y a des jours où je me sens comme un commercial ambulant...

Un autre silence. Minuscule, celui-là, rompu aussitôt par un accord de guitare. Ninon a repris le manche et y va de son répertoire habituel : du rock et du blues québécois. Puis elle passe à l'américain avec un petit solo de jazz assez impressionnant. On l'écoute chanter en l'accompagnant à l'occasion, comme toujours.

Ninon, tu resplendis tellement que, tantôt, je vais serrer ton corps fort fort dans mes bras, simplement pour te dire combien je t'amitie.

Hum ! Joanna, ma fille, tu ramollis ! Il est temps de pousser une grosse joke, cochonne si possible, histoire de changer l'atmosphère : tactique évidente, quand on sait qu'il s'agit ici de faire un party dont on se rappellera ! Car, s'il n'y a rien à raconter après, à quoi ça sert de faire des partys ?

Au fait, dites-moi : quand est-ce qu'ils vont se décider à légaliser les drogues douces, flûte de zut ?

Les filles sont reparties en fin d'après-midi vers cinq heures. Elles ont toutes couché ici. Je l'avais prévu. J'avais confectionné des croissants au beurre et j'avais acheté des fromages et des pâtés. On a ri comme des folles en étirant le déjeuner jusqu'au milieu de l'après-midi.

Puis, comme il a neigé la nuit passée, on a fait un beau bonhomme de neige et on l'a décoré du vieux chapeau que Marc avait laissé ici, avant de partir. J'ai pris une photo du bonhomme entouré des filles. Je la lui enverrai dans ma prochaine lettre.

Je suis fatiguée. Elles ont déplacé tellement d'air que leur départ vient de créer un grand cyclone dont l'œil est mon appartement. Je ne m'ennuyais pas, avant leur arrivée, j'avais simplement hâte de les voir, et voilà que je n'endure plus mon silence. Je les aime, mais ne peux les supporter longtemps, surtout ensemble. Ce que je préfère, c'est placoter avec la rafraîchissante Dany, ou discuter inlassablement avec Patricia de choses éminemment sérieuses et tragiques, ou faire la folle avec Joanna. Quand on se réunit toutes les quatre, on se noie dans les débuts de conversation.

C'est la super présence de Joanna, surtout, qui a creusé un grand vide. Joanna est «trop». Elle vit trop, elle parle trop, et c'est moi que sa vitalité épuise. Quel kaléidoscope devant les yeux! Elle brille et elle pétille, c'est comme un feu de Bengale, ça remplit la vue et ça donne le goût d'y toucher, même si ça brûle. Et, pour accompagner la lumière, il y a sa voix comme du pop-corn. On dirait une fillette qu'on chatouille. Comme remonte-pente, elle est unique, bien sûr. On dirait qu'elle ne traverse jamais d'épreuves, ou alors, quand elle en fait le récit, ça devient hilarant, une mimique n'attend pas l'autre gag, elle est là à parler de ses malheurs et on a mal aux côtes. Et elle vous regarde, heureuse de vous faire rire, on croirait qu'elle n'a pas besoin de plus. D'ailleurs, elle n'a jamais de malheurs ordinaires ; que des tragédies qu'elle transforme en fresques vaudevillesques. Ma chère amie. Mes chères complices !

Mais à elles trois, plus elles s'exaltent devant moi, avec leurs causes, leurs rencontres, leurs aventures, plus je me sens mate et plate. Même quand c'est de moi qu'elles font l'apologie, on dirait qu'elles m'entretiennent d'une étrangère. Quand elles parlent de moi, ma vie prend instantanément les couleurs d'un cliché original.

Alors que ma vie est étroite et pâle comme une salle de bains de motel. C'est ce que Joanna dirait.

N.

CHAPITRE 2

Où les cœurs gèlent
à pierre fendre

Ordre du jour

0. Présences
1. Bulletin météorologique (Sti ki fa frette!)
2. Potin (j'ai un chum j'ai un chum j'ai un chum!!!!!)
3. Compte rendu d'une rencontre les deux pieds dans la slotche (je tombe sur Patricia)
   3.1. Patricia est sur le bord de la crise de nerfs
   3.2. Je paie une bière à Patricia
   3.3. Patricia grimpe dans les rideaux devant tout le monde
   3.4. Dany vient à bout de Patricia avec une histoire parfaitement macabre
4. Compte rendu d'une peine d'amour (pas besoin de me dire que ç'a été bref, je le sais)
5. Compte rendu d'une go improvisée, sans moi!!!!!!!!!
6. Compte rendu d'une go improvisée, à la Joanna Limoges (sans elles! ça leur apprendra!)

1er février

Aujourd'hui, j'ai passé la journée à me chercher du travail. Je veux dire du travail selon mes capacités. Les emplois intéressants s'étalent à pleines pages dans le Voir, mais ils sont tous suivis d'une mention «pour bénéficiaires d'aide sociale ou d'assurance-chômage» ou «réservé aux femmes autochtones handicapées», ou quoi encore.

J'ai fait quelques téléphones dans des agences de graphisme, mais on demande un diplôme dans ce domaine, sans tenir compte de mon expérience ou de mon talent. J'ai rappelé un copain pour lequel j'ai été choriste, mais il ne fait plus de musique. J'ai envoyé un curriculum vitæ à Radio-Canada, où je connais vaguement un cadre.

Puis ça a été l'heure du rituel. J'ai fait mes inévitables courses au marché Jean-Talon où j'ai essayé en vain de trouver du plaisir à fouiner ici et là d'un étalage à l'autre. J'avais les mains gelées. Malgré les cloisons grises dont les commerçants entourent la structure centrale du marché pendant l'hiver, il faisait un froid de canard. J'ai ensuite essayé de me laisser séduire par les odeurs et les couleurs à la poissonnerie, à la boucherie et à la boulangerie, sans succès. Je suis rentrée à la maison et j'ai préparé sans enthousiasme un bon petit plat pour deux, que j'ai savouré avec un demi-litre de vin. J'ai congelé la deuxième part et j'ai lavé ma vaisselle.

Ultime réponse aux solitudes universelles, la télévision était là qui me tendait son œil rond et vide, séductrice et narquoise. Je l'aurais allumée que toute la pièce se serait remplie de voix et de visages, beaux, laids, peu importe, pourvu qu'ils parlent, pourvu qu'ils me distraient du silence follement bruyant de mon appartement. Ce peuplement n'aurait rien réglé, mais la télé aurait simplement aspiré le vide, comme un trou d'air.

J'ai mis un disque compact. J'étouffais. J'étouffais, immensément éloignée de mes adolescentes ambitions, alors qu'on s'extasiait sur mes innombrables talents et qu'on me laissait miroiter une existence pleine d'expériences fantastiques et d'aventures enlevantes.

L'aventure. Celle que je cherche et qui s'esquive ; celle qui me fuit en se cachant derrière les vides, reflet insaisissable comme dans les jeux de trois miroirs des salons d'essayage avec lesquelles je m'amusais inlassablement quand, petite, j'attendais que ma mère ait terminé ses achats.

J'ai allumé une chandelle et j'ai pris mon cahier, machinalement. La lueur me permet tout juste d'écrire droit. Sitôt couchés sur le papier, les mots disparaissent dans l'ombre environnante, et je ne peux pas me relire.

Je fais des vagues fleuries de mon écriture ronde sur le papier ligné. Mais le lac serein de mon existence reste d'huile et de platitude, et je n'ai rien à confier à la page. Et je pressens que cette nuit va s'étirer mollement comme une longue glu pâle jusqu'à l'aube.

Rien est un lieu. « Rienville » est une contrée sauvage, un endroit d'où l'on a du mal à sortir, puisqu'il faut inventer l'issue.

Rien est quelqu'un au tempérament dominateur, qui s'interpose entre quiconque et moi. Rien est silence et bruit de fond. Rien est le gouffre des phrases creuses, le fossé qui se dessine après l'anodine phrase : « Comment ça va ? » Et ces trois mots sont un mur, cela n'ouvre pas la conversation, cela ferme simplement la communication. Claquemurée entre les mots « pas mal et toi ? », j'asphyxie sous le poids démesuré de mon mutisme toutes les détresses pâles de mes ennuis quotidiens et tragiques. Rien est un geôlier à l'enfer mal délimité, puisqu'il va de l'intérieur de moi à l'autre bout de la planète, où quelqu'un que je connais existe, simplement pour me rappeler la distance qu'il y a entre lui et moi. Rien est un ciel noir où une chauve-souris vole pour me narguer, moi, rampante inguérissable de mon immobilité maladive.

Rien est une tache fade qui s'agrandit devant moi pour rétrécir l'horizon de mon avenir. Rien fait mal comme la faim.

Mais plus grave encore, il s'empare de ce cahier.

N.

Bulletin météorologique

Si vous êtes originaire de mon beau pays en forme de banc de neige, vous savez de quoi je parle et vous en tremblez déjà : de terreur, d'abord, parce que vous savez ce qui vous attend ; de froid, ensuite, parce que vos bottes italiennes en cuir fin sont probablement dans le même état que les miennes, c'est-à-dire transpercées de bord en bord malgré les couches successives de graisse de phoque dont je les enduis ; de fièvre, aussi, sans doute, puisque c'est une saison chère aux microbes...

Si, par contre, vous lisez ce livre bien assise sur votre dune de sable, quelque part en Côte-d'Ivoire, et que la seule glace que vous ayez vue de votre vie flotte actuellement dans votre verre de limonade, laissez-moi vous expliquer pourquoi vous ne connaissez pas votre bonheur.

(Bien sûr, ce qui suit ne s'adresse pas aux espèces de schizophrènes mordues de ski et de camping d'hiver. Sautez ce passage et allez vous les geler, gang de folles !)

Autrement dit, la température se situe aux alentours de moins deux mille degrés. Il fait gris mur à mur, du sol au ciel. Tout le monde est fauché. Tout le monde va faire faillite, qu'ils disent. Personne n'appelle votre petite chroniqueuse Joanna pour lui offrir le contrat du siècle. (J'ai bien mon emploi à l'hebdo, mais ce n'est pas avec ça que je vais mettre du caviar sur ma biscotte.) Même pas de cocktails, d'inauguration ou de première en vue, où je pourrais au moins aller me saouler gratis. Personne, à part quelques irréductibles qui bravent le froid ; les bars sont aussi vides que la plage Doré. Vivement le Festival de blues ! Mais tout n'est pas perdu, car... (potin...) j'ai un chum !

Ça faisait deux mois que j'avais laissé celui qui restera dans la mémoire collective sous le nom de « ma bête de sexe » (un petit rocker galant comme une émeute... et fringant comme un taureau, olé !). Au début de décembre, au Shed Café, je rencontre une chumesse qui me dit :

— Justement, dernièrement, je suis tombée sur un de mes ex, qui m'a demandé si je n'avais pas quelqu'une à lui présenter. J'ai pensé à toi, ça te dirait ?

— Donne-moi une chance, que je lui réponds. Je n'ai aucune envie de me rembarquer tout de suite dans une autre galère. Tu sais comment sont les hommes : tu les rencontres, ils sont intéressants, intelligents et bandés comme des étalons ; et, en moins de temps qu'il n'en faut pour dire « j'ai ferré un poisson », ils se transforment en cornichons casseux de partys et frigides (ici, je ne parle pas de mon petit rocker, il est resté sexuellement actif jusqu'à la fin, ce qui en fait une exception notable). Jamais moyen qu'on aille prendre une bière entre filles sans qu'ils ne se revengent en partant trois jours sur le party ; impossible de dire bonjour à un de ses ex sans qu'ils ne t'entament un procès ; inimaginable de dire « je t'aime », comme si prononcer ces mots les abonnait à l'encyclopédie Grolier pour les dix prochaines années...

Quand même, l'occasion manquée me chicotait un peu, pas vraiment parce que je croyais avoir raté un rendez-vous avec le destin (Catherine a souvent des amis fort peu recommandables), mais parce que je n'avais aucune envie, après avoir passé un an à être baisée comme une déesse païenne, de m'enfoncer dans le cauchemar de l'abstinence sexuelle.

Ô hasard, quand tu y tiens! Après les fêtes, je retombe sur elle, qui me dit: «Tiens! Je m'en allais prendre une bière avec le gars dont je t'ai parlé, ça te dirait?»

Comme ça, spontanément, ça ne faisait pas trop rendez-vous arrangé, alors j'ai accepté. En arrivant là, j'aperçois-t-y pas un gars qui a une tête à être bibliothécaire bénévole, et un autre, plutôt beau gars. Lequel est-ce? me demandé-je avec de la terreur dans les yeux.

C'était le beau gars. La prise de contact fut facile, et Cathou, pour nous laisser seuls (évidemment, c'est relatif, l'autre tarla n'ayant pas l'air de comprendre qu'il était de trop), se déclara diplomatiquement malade. Enfin, c'est ce que j'ai pensé sur le coup, sauf qu'elle s'est fait opérer la semaine suivante, alors ça devait être vrai...

Quoi qu'il en soit, histoire de faire une histoire courte, on s'est revus. Il est très beau — c'est étonnant, d'habitude je fais plutôt de l'effet aux *low profiles* —, il a l'air intelligent et il fait très bien l'amour — pas souvent, mais bien. Comme il n'a pas d'emploi par les temps qui courent et qu'il ne peut donc pas se payer de réfrigérateur ni de cuisinière pour le moment, il habite chez moi depuis deux semaines et, quand je rentre le soir, mon souper est servi sur la table, elle-même ornée de serviettes de papier pliées en forme de chapeau et de chandelles n'attendant que moi pour être allumées. (Tandis que moi, je le suis déjà. Allumée, je veux dire.)

Bref, je flotte. Je ne sais pas encore si c'est l'homme de ma vie, mais, pour l'instant, ça aide à passer l'hiver (*macha*, va !).

Tout ça pour dire qu'en plein milieu de la rue Mont-Royal, cet après-midi, je tombe sur Patricia qui, ces jours-ci, a l'âme dans le congélateur (d'autant plus qu'on gèle chez eux : ils vivent dans une vieille piaule pas chauffable d'Hochelaga-Maisonneuve et ils économisent sur l'électricité par engagement politique, pour ne pas trop donner d'argent à la méchante Hydro-Québec destructrice d'écosystèmes ; faut dire qu'elle vit avec trois colocataires écolo-anarchistes pas particulièrement portés à rire et une autre, féministe-séparatiste-lesbienne-radicale – c'est bien la première fois que je vois Patricia à droite de quelque chose –, qui aiment souffrir comme des premiers chrétiens). Bref, on se réfugie sur le trottoir, histoire de ne pas servir d'appât à un automobiliste frustré ou à un cycliste hivernal possédé du démon. Pas le temps de placer un mot, elle part :

— Maudite bureaucratie !...

— Oui. Heu... mais encore ?

— En bref, en tant qu'heureuse bénéficiaire d'un « projet » financé par le Bien-être social, qui, hélas ! s'était terminé en décembre mais grâce auquel j'avais travaillé pour un organisme communautaire, héritier légal du missionnariat ecclésiastique, j'ai pu postuler par la suite (ô bonheur !) dans la fonction publique. En fait, je serai employée juste assez longtemps pour

retirer à nouveau de l'assurance-chômage, ce qui
m'offrira peut-être la possibilité de participer à un
autre type de projet.

— Chez les post-baby boomers, on appelle ça un
plan de carrière, dis-je, ironique.

— Aussi, je travaille depuis peu dans un beau bureau drabe, coincée entre deux écrans drabes et deux
consœurs, drabes également.

Mais si, dans le monde des militants et des militantes, ce genre de vie est assez apprécié, parce qu'il
permet d'être libre une partie de l'année, il n'en va
pas de même pour les familles à faible revenu, qui
n'arrivent jamais à se sortir de ce dédale institution-
nel! Bof! qui s'intéresse aux pauvres, à part les spec-
tateurs des Miz?…

Et puis, malgré mes dix-sept années d'école, mon
baccalauréat, mon certificat et mes innombrables
expériences en intervention communautaire, je ne
gagne pas 1000$ par année de scolarité. Qui a dit:
«Qui s'instruit s'enrichit?»

— Ne le dis pas, Patricia, je le sais: un baby boomer.

Là, j'en ai ras la casquette de sentir mes bottes lentement investies par la slotche, et je lui dis que je lui
paie une bière. On se ramasse au Quai des Brumes.
J'enlève mes chaussures en cherchant des yeux Gros
Minou (il y a eu Minou, Ti-Minou, Matou, Panthère
et, maintenant, il y a Gros Minou), mais il n'est pas là.
Il ne devrait pas tarder, c'est son heure.

— Comme d'habitude, poursuit-elle, j'ai spécifié
mon excellent français et on m'a reléguée aux statistiques. Mon emploi consiste à nourrir l'ordinateur.
Joanna, je te le demande: me faudra-t-il attendre la

mort du dernier ou de la dernière baby boomer pour occuper un emploi qui a du bon sens ? Et, si oui, puis-je les éliminer moi-même ?…

— Non, Patsy. Il n'y a pas de peine de mort pour les casse-pieds. Mais, que dire, heu… il n'y a pas de filles sur cet étage ? Comment va la cruise ?

Là, elle devient aigre comme un cornichon à l'aneth.

— Ne m'en parle pas. La réceptionniste est atteinte du syndrome des quatre pouces : quatre pouces de talons, quatre pouces de beaux ongles et quatre pouces de toupet immobilisé dans l'air par le fixatif. Katia, elle, une excellente employée, dépense ses paies à torturer son corps à coups de salon de bronzage, esthéticien ou esthéticienne, manucure, prof d'aérobic, diététicien ou diététicienne. Pas un ou une spécialiste de la question moderne qui ne soit mis à contribution pour faire de cette chose utilitaire, le corps, une marchandise aliénable et, surtout, tellement aliénée ! Ensuite, il y a Jeannine, à l'autre bout du bureau, qui croule sous son hypothèque afin de se payer l'indispensable bungalow avec piscine, pelouse…

— Petits individus de couleur en plâtre…

— Atteinte, celle-là (comme presque toutes ses semblables de la bâtisse, au demeurant), du syndrome du micro-ondes, elle représente très bien l'adage de la génération bungalow : le mal est défini par ce qui dérange ; le bien, par ce qui sert à *paraître* ! Les maris sont des pères non pas engagés, mais enrôlés, qui torchent cinquante pour cent des saletés, mais n'émettent pas un commentaire sur l'éducation de leur progéniture et la délèguent encore à leur conjointe. Quant aux enfants, ils deviennent adolescents à neuf ans, ils exigent et obtiennent Nintendo, ghettoblasters, billets pour New Kind of The Bluff… T'IMAGINES-TU? hurle-t-elle à pleins poumons. Trente-trois maisons et trente-trois tondeuses!

Le serveur qui nous sert notre deuxième bière en échappe sa monnaie. Autour de nous, les clients se retournent, intrigués. Je songe que ces mots, sortis de leur contexte, peuvent sembler fort obtus. J'attrape le fou rire, mais je me retiens, car Patricia, crinquée comme ça, me crucifierait sûrement.

— Les enfants apprennent d'emblée le sens du mot « consommer », comme dans « abracadabra ». Mais comment Mélanie, Geneviève, Guillaume et Félix pourraient-ils choisir une autre voie, quand TOUS les autres chemins sont plus ardus, quand ils et elles ont tous et toutes quelque chose à perdre?

Et là, elle se lève, et elle énonce solennellement, comme si elle nous annonçait la fin du monde:

— Pour la première fois de notre histoire, une génération est plus pauvre que la précédente.

Autour de nous, les clients (de plus en plus nombreux, il est cinq heures et quart) approuvent gravement. Sonia (l'éditrice la plus audacieuse de la ville), assise pas loin, applaudit brièvement.

— Les cellules familiales (qui, de toute façon, n'existaient que par les états civils) crèvent comme des mouches. Et les pères de fin de semaine n'ont rien à *dire* à leurs enfants, même pas la transmission des rites du sport national, parce que les Canadiens ne gagnent plus la coupe Stanley que pour organiser des émeutes et que, donc, ils ne valent plus la peine d'être regardés.

Patricia adore le hockey.

— Dans ce genre de couple, l'amour, s'il a jamais existé, n'est plus qu'une aspiration qu'on a rangée, celle-là, dans le tiroir des impossibilités, parce qu'*on ne peut pas l'acheter*.

Quant aux «pauvres» hommes éduqués par leurs pères pour fonctionner dans un monde qui n'existe plus, ils doivent maintenant comprendre et aimer ces enfants qui naissent par planification (et, dès lors, pour quelle raison les mettre au monde, sinon comme un autre bien qu'on acquiert entre vingt-cinq et trente-cinq ans, après la maison et avant le bateau?) et leur inculquer un sens moral dont on ne se rappelle même plus la lettre. Alors ils confient l'élaboration de leur personnalité à d'autres (ce qui est aussi bien, puisqu'on n'a rien à leur donner ou à leur inculquer, sauf *the power of money*). Le gaspillage n'est plus un crime mais un mode de vie, le lien entre le mot «travail» et le pain sur la table est une abstraction, la nature est une chose spatialement et temporellement lointaine qui donne des allergies, et la retraite n'est plus la fin mais le début de la vie.

Souhaiter la vieillesse! s'exclame-t-elle avec emphase. Le comble de la décadence est là, tout entier, voilà la substance du vrai danger!

Là, elle a presque une ovation.

— Heureusement qu'il y a Raymond! soupire-t-elle en se laissant retomber sur la chaise.

J'ouvre les yeux grands comme des huards en nickel. Ai-je bien entendu? Un homme trouve grâce aux yeux de Patricia? Présentez-moi le spécimen! À ce jour, je la connais depuis cinq ans et je ne l'ai pas vue accorder le droit au port des testicules à plus de huit gars et demi (dont six gais).

– C'est Raymond T., employé de l'État, travailleur efficace. Un grand bonhomme sympathique qui aime les femmes avec un grand respect.

Le matin, chaque fois qu'une femme a fait un effort particulier dans son choix vestimentaire, qu'elle a bien choisi l'agencement de ses couleurs, qu'elle a ajouté un élément de surprise à sa toilette – et pas nécessairement parce qu'elle est plus grimée – ou alors ces matins où l'on se réveille en forme et où l'on se sent plus jolie que d'habitude, il le remarque et la complimente. Et ce n'est pas du tout harcelant, *c'est réellement un compliment.*

Il a fait plein de choses avant d'être fonctionnaire, comme chargé de projets. Il a fait son cours classique et a été de ceux qui ont fait basculer l'éducation québécoise vers le laïcisme à force de manifestations et de publications incendiaires. Il a été de toutes les contestations : il allait flâner avec des centaines d'autres, un livre à la main, 25 $ en poche pour ne pas être accusé de vagabondage, quand *La Presse* est tombée en grève et qu'on a interdit le droit de piquetage à dix kilomètres à la ronde ; il a participé aux premières marches pour le droit à l'avortement, aux côtés de dizaines de milliers de femmes ; il a été arrêté lors des Événements d'Octobre ; chaque fois qu'il y a une grève de la fonction publique, il se fait spotter le premier, parce qu'il dépasse tout le monde d'une tête et que tout le monde le connaît ; c'est toujours lui qui écope des suspensions et des griefs quand ça va mal et il s'en fout complètement : il continue de se battre, même s'il n'est plus représentant syndical. C'est qu'il interprète la convention collective, ce qui mélange les fonctionnaires. Alors ils élisent un pantin qui la suit comme un manuel d'instructions et ils consultent Raymond quand ils ont besoin d'une information plus nuancée.

On le trouve à la fois un peu bizarre et supersympathique. Même les patrons le respectent, parce qu'ils savent que, grâce à lui, l'atmosphère n'est pas trop putride (et un fonctionnaire de bonne humeur de plus, c'est un chiâleux de moins).

Il m'a tout de suite spottée. Depuis, à l'abri des regards perçants de nos collègues, il prend son café du matin avec moi, derrière mes écrans, et on rigole. C'est un vrai de vrai baby boomer, mais il n'est pas devenu con avec l'obtention de la sécurité d'emploi. Je me suis souvent demandé comment une génération qui avait été aussi dynamique et génératrice de mouvement avait pu devenir aussi amorphe.

Eh bien! Je pense qu'il n'y a rien à ajouter à ça. Gros Minou ne s'étant pas montré le museau, je propose à Patricia de lever le camp et d'aller faire irruption chez Ninon.

Le temps s'est encore refroidi, et mes oreilles se transforment instantanément en chips au barbecue. Toute la slotche de la ville a soudain pris en pain, et ça me prend vingt minutes à sortir Mouche-à-feu, ma fidèle minoune, de son carcan de glace. Je serais installée dans mon char pour hiverner jusqu'au printemps si Patricia n'était pas là pour pousser. On arrive chez Ninon avec deux bouteilles de rouge pour se réchauffer un peu les sangs.

Pendant que je décongèle lentement à côté du calorifère en accordéon du salon, les orteils bleus dans les pantoufles fourrées de Ninon (elle est très frileuse et, l'hiver, il fait toujours chaud chez elle, comme dans le ventre de votre mère), Patricia résume

rapidement à Ninon (la veinarde) ce qu'elle m'a longuement exposé au Quai des Brumes.

— Finalement, lui dit Ninon, ce qui te fait grimper
dans les rideaux, c'est que tu as peur de te démener
pour rien.

— Je me bats dans le beurre, Ninon ! Toute ma vie,
j'ai lutté pour aider les femmes à se libérer du joug
patriarcal et économique, et, vingt-cinq ans après
l'éclosion du féminisme, elles rêvent encore de se
faire refaire le nez et ne laissent pas tomber leur mari
pour ne pas perdre leurs biens de luxe !

Toute ma vie, j'ai été syndicaliste, pourquoi ? Pour
voir aujourd'hui des syndiqués et syndiquées habiter
de ridicules châteaux de banlieue, détester tout ce qui
ne leur ressemble pas, cracher sur leurs représentants
syndicaux et représentantes syndicales parce que
ceux-ci et celles-ci expriment la nécessité d'une certaine SOLIDARITÉ ! Pour voir d'autres représentants syndicaux et représentantes syndicales viser leur seul
intérêt. Toute ma vie, j'ai lutté pour le droit des adolescents et des adolescentes à l'autodétermination,
pourquoi ? Pour les voir rechigner devant le moindre
effort et adopter le nihilisme comme philosophie PAR
SIMPLE PARESSE et ce, sans même connaître le mot !

Je suis écœurée de me battre contre des moulins à
vent pour aider des gens qui me considèrent comme
leur pire ennemie, de parler à des gens qui ne se sont
pas servis de leur cerveau depuis tellement longtemps que ça fait mal quand ils essaient !

— Tu as peur de finir comme ça, déduit Ninon.

Aïe ! elle n'y va pas avec le dos de la cuillère, la mère
Ninon ! Je n'aurais jamais osé dire ça à Pat, moi. Mais
voilà que Patricia la toffe, Patricia l'inébranlable se met à

pleurer de rage. Je la regarde, bouche bée, en songeant que j'ai trouvé le thème de ma prochaine chronique.

— Si j'avais tort, Ninon? dit-elle, et je m'en étouffe dans mon verre de piquette. Si c'étaient eux qui avaient raison? Si le bonheur, c'était une maison, deux enfants, un chien, une chatte et un fonds de pension? Si c'était vrai qu'on ne peut jamais rien changer, qu'on n'a de pouvoir sur rien? Si la vraie vie, c'était la leur?

— Serais-tu capable de vivre comme ça?

— Jamais! proclame-t-elle avec véhémence. En tout cas, pas longtemps. Je suis là depuis dix jours, et j'ai déjà peur. Et avoir peur, c'est leur reconnaître au moins une part de raison, ça me dégoûte de moi! Et puis, de toute façon, ils ont fermé toutes les portes derrière eux, ils ont pris bien soin de se protéger mur à mur avec des conventions collectives en béton, des clôtures en bois traité et des discours qui leur donnent raison! «Je ne veux rien entendre, je ne veux rien voir et je n'ai rien à redire!»

Pourquoi Mai-68, ça n'a pas marché? Pourquoi Octobre-70, ça a floppé? Pourquoi la Chine s'est corrompue? Pourquoi Cuba est une dictature?

Mais je ne pourrai jamais me taire, tant qu'il aura une victime de viol sur terre, tant que la démocratie sera une farce!

— Parfait, tu sais ce que tu veux, et tes luttes sont nécessaires. Il faut que tu continues. Mais ta propre vie n'est pas en jeu, Patsy, il faut que t'arrives à faire abstraction de tes luttes dans ton existence.

— Es-tu folle? s'écrie Patricia. Jamais je ne pourrais me regarder dans les yeux si je vivais une relation sexiste, par exemple, ou si je devenais patronne!

Là, je m'en mêle.

— Depuis que je te connais, je ne t'ai jamais vue autrement qu'en colère. On ne peut pas toujours vivre en crisse ! Tu n'as donc aucune contradiction, Patricia ?

— Je-suis-une-fem-me-de-par-ti, articule-t-elle alors que les larmes coulent, abondantes, sur ses joues.

Ninon la prend dans ses bras.

— C'est le burnout qui te guette, Pat. Là, tu arrêtes, tu prends congé des quatre organismes communautaires dont tu fais partie, tu oublies tout, tu niaises avec Raymond jusqu'à la fin de ton contrat, et tu laisses la planète se débrouiller un peu sans toi, O.K. ?

Sainte Ninon, patronne des déprimées, va.

C'est là qu'on sonne à la porte. Youppi ! c'est Dany, un six pack à la main. Justement, on allait manquer de carburant. Elle allège l'atmosphère d'une bonne demi-tonne rien qu'en mettant le pied dans la maison.

Notre chère Fanfreluche nous raconte une belle histoire à sa manière pour nous amuser (enfin, manière de dire : en fait, elle m'a reglacé les sangs pendant un moment...)

— J'intitulerai cette fable morbide : Vivi ou le treizième coup de midi, commence Dany.

De dos, ma tante Vivi semble être une femme superbe de trente ans, aux formes rondes et fermes, aux hanches magnifiques, à la taille mince et au dos droit. De face, Vivi, en fait, est une belle, une très belle femme de cinquante ans. Son visage souriant arbore des milliers de petites rides qui ne sont pas sans charme, mais qui révèlent en partie sa vie.

Vivi a eu le cancer.

Vivi, « laïque engagée », comme on dit, a passionnément aimé son fiancé et elle s'est retenue à deux mains pour ne pas « commettre le péché », dans le temps. Cela explique pourquoi elle s'est mariée à dix-neuf ans.

Ça a été le bonheur. Son mari et elle ont eu trois beaux enfants. Jean-Pierre n'a jamais manqué d'ouvrage. Ils n'étaient pas riches, ça non. Mais Jean-Pierre gagnait assez pour acheter une maison en banlieue, faire vivre sa femme le temps que les enfants atteignent l'adolescence, se payer deux semaines de vacances par année à la mer, en Nouvelle-Angleterre, ou sur le bord des lacs du Québec.

Le bonheur sans histoire, quoi. Celui d'un couple qui s'aime, qui ne se dispute pas souvent et tâche de régler ça rapidement quand ça arrive. Qui partage la joie d'aller à la messe toutes les semaines, puis d'acheter le pain frais à la boulangerie après avoir bavardé sur le parvis. Qui s'accorde la petite désobéissance de ne pas aller à l'église certains dimanches pour rester au lit et faire l'amour. Qui, deux fois par année, confie les enfants aux grands-parents et part en amoureux pendant trois jours.

Puis, la fatigue. La douleur. Le cancer. La mort, là, tout près, qu'on croyait bien loin. L'hôpital. L'angoisse. L'ablation des deux seins. La prière, puis le scepticisme à son égard.

Un matin d'hiver, Vivi se leva après le départ des enfants et se traîna à la cuisine. Dans sa tête, elle entendait la litanie qu'elle psalmodiait tous les matins depuis qu'elle savait : « Ça va aller, tu vas être capable, un peu de courage, Dieu est là qui t'aide, un geste à la fois. »

Vivi se fit à déjeuner, en faisant appel à toute sa concentration pour tenir la tasse, verser le café, reposer la cafetière, mettre le lait, viser pour faire tomber le sucre. Elle s'y prit mal. La cuillerée tomba en entier sur le comptoir, loin de la tasse. La cuillère tinta sur la mélamine. D'un coup, tous les muscles de Vivi cessèrent de répondre à ses commandements. Son tronc s'écrasa avec un bruit mat sur le comptoir. La tasse roula par terre et, devant Vivi, de l'autre côté de la porte patio, la silhouette d'une grande femme drapée de noir cacha le soleil. Vivi ferma les yeux, mais l'image du visage émacié et grisâtre de la femme resta imprimée dans sa rétine. Elle vit en négatif les pommettes dures et saillantes, et les yeux creux qui semblaient mener directement au fond d'une âme vide.

De ses maigres forces, Vivi s'agrippa au comptoir, se sentant aspirée par le gouffre de ces orbites sans regard.

— Qui es-tu ? se demanda Vivi.

La femme ricana et approcha son visage de Vivi. Celle-ci parvint, à travers la sueur qui obstruait sa vue, à regarder intensément la silhouette. Et elle la reconnut.

— Tu es mon cancer.

— On m'appelle Treize.

Ça y est. Je vais mourir, maintenant.

— Oui, entendit Vivi dans sa tête. Je suis venue te chercher.

— Oh, je suis si fatiguée, gémit Vivi.

— Je suis venue t'apporter le repos, dit sa maladie.

Vaincue, Vivi resta une bonne vingtaine de minutes ainsi, sans bouger. Devant elle, l'image qu'elle avait donnée à sa maladie pour mieux personnaliser l'ennemie à abattre, pour mieux haïr et vaincre le travail de sape qui tuait son corps à coups sournois, oscillait sur ses pieds comme le balancier d'une horloge. Tout prenait une teinte mate autour d'elle. Une odeur aigre de tanin se répandait insidieusement dans la maison.

Alors, d'un coup, faisant appel à des forces qu'elle ne croyait plus posséder, elle se redressa.

Je ne vais quand même pas mourir ici, toute seule. Je vais sortir, marcher jusque chez ma sœur. Dix maisons me séparent de chez elle, je vais y arriver.

Treize sembla d'abord dépitée, puis elle émit un sifflement de rage et se dressa de toute sa hauteur. Les lambeaux de sa toge vinrent frôler la nuque de Vivi. Vivi se jeta en avant et se précipita avec une lenteur désespérante vers le portique, où elle parvint, malgré ses doigts gourds, à enfiler son manteau, à le boutonner, à mettre ses bottes et à se jeter hors de la maison.

En fermant la porte, elle vit Treize sortir de sous ses hardes une grande faux dont elle empoigna fermement le manche. D'un geste large, elle fit tournoyer l'objet autour de sa tête. Vivi ressentit une douleur intolérable au côté, et ploya sous la douleur. À ce moment, elle croisa les yeux de la femme. Aspirée par ce noir profond, elle dut tirer de tout son poids sur la porte pour la refermer et elle la verrouilla soigneusement, moitié par habitude, moitié par superstition. Elle se retrouva enfin dehors.

L'air frais lui fit un peu de bien et dissipa temporairement la vision. Il faisait beau, une de ces journées d'hiver blanche et bleue, où le froid est pointu et où la neige cristalline est aveuglante.

Arrivée devant la maison de sa sœur, Vivi reprit son souffle et tourna la tête pour observer le paysage qu'elle connaissait si bien. Elle habitait l'avenue du Parc, une très ordinaire rue résidentielle de banlieue, bordée d'un côté de maisons pour la plupart désertes en plein jour, et longeant de l'autre l'ancienne carrière du Centre de la nature. À cet instant, la lame de la faux se planta tout près des pieds de Vivi, et le coup résonna dans tout son corps. Vivi, sans se retourner, fuit en avant et entreprit de faire le tour du gouffre enneigé.

Elle se mit à marcher, posant un pied devant l'autre comme un zombi, regardant droit devant elle. Le vent, libre de tourbillonner sur des centaines de mètres, atteignait une vitesse et une froidure piquante presque insupportables. Bientôt, elle n'eut plus qu'une idée, terminer le contour qu'elle avait étourdiment entamé pour rentrer chez elle, et mourir en paix. Mais il fallait suivre, de l'autre côté du parc, toute la voie de service de l'autoroute où la bise régnait en maître et, aux extrémités, les longs couloirs humides des boulevards. Haletante, étouffée par l'air glacial, elle crut deviner au fond du trou une rumeur sourde et elle tourna la tête. Jaillissant comme un diable d'une boîte, une gigantesque vapeur glacée s'éleva au-dessus de la fosse, et une chose atroce se balança devant elle. Elle reconnut dans les tripes tuméfiées et noircies qui palpitaient près de son nez la radiographie de ses propres entrailles, cliché qui hantait tous ses cauchemars.

Vivi cria faiblement et poursuivit sa fuite.

Il lui fallut plus d'une heure pour revoir sa chère maison. Ah ! y entrer et s'éteindre, tout simplement !

À destination, pourtant, elle passa tout droit, arrêtée par les yeux fiévreux de Treize brillant derrière chaque fenêtre, lui lançant des dards dans le ventre. Penchée vers l'avant, butée, le visage crispé par l'effort, elle recommença le tour du parc. Manquant parfois de tomber, glissant sur la neige crissante, elle avançait comme vers l'issue. Elle s'accrochait maintenant à cette idée : ne pas crever dans un banc de neige, à ciel ouvert, pitoyablement ; avoir assez de force pour revenir, à l'issue du second tour, mourir chez elle, et puis tant pis !

— Ça va, Treize, tu m'auras. Mais je veux te donner de la peine.

— C'est à toi que tu en donnes, Vivi, répondit Treize en apparaissant juste devant elle, à l'échelle humaine, cette fois, horrible carcasse en décomposition.

— Mon Dieu ! hurla Vivi dans le vent.

Le ciel resta vide.

Au bout d'une éternité, la maison chérie, chaude, familière lui apparut au loin. Quel contraste avec ce froid inhospitalier, hostile, avec cette rue déserte et indifférente où la mort, de toute façon, rôdait aussi ! Trempée, elle avança presque à quatre pattes, s'appuyant à tous les poteaux, à toutes les voitures stationnées. Et, cette fois, elle rentra chez elle.

Aucune femme en noir ne l'attendait. Vivi supposa qu'elle restait tapie quelque part et referma la porte.

La chaleur subite la fit presque suffoquer. Elle se dévêtit et s'engouffra sous la douche, qu'elle prit assise. L'eau chaude détendit ses muscles crispés et tremblants. En sortant de la douche, elle regarda peureusement autour d'elle. Personne, apparemment. Elle alla ramasser le sucre sur le comptoir et le café répandu par terre. Puis, enfin, elle se coucha dans ses draps frais et blancs, qui lui parurent un magnifique linceul. Elle fit une courte prière et s'endormit paisiblement en disant à Treize que, maintenant, elle pouvait venir.

Une main se posa sur son épaule, la main d'un ange, solide et rassurante.

— Vivi, c'est Jean-Pierre. Tu te sens bien?

Il arrivait de son travail, il était plus de six heures. Les enfants, l'ayant trouvée couchée, l'avaient laissée dormir et avaient préparé le souper.

— J'ai dormi tout l'après-midi, dit-elle.

Elle se leva, sans rien dire de ce qui s'était passé le matin. Le soir, elle lut au lit très tard, confortablement installée près de Jean-Pierre dont la respiration profonde la berçait. De temps à autre, elle levait la tête, cherchant des yeux une ombre qu'elle n'arrivait pas à discerner.

Le réveil, le lendemain, fut pénible. La douleur, sourde, la submergeait parfois par vagues très fortes. En tournant la tête, elle vit Treize, bien assise sur la table de nuit, qui ne lui dit pas un mot, se contentant de la toiser. Vivi se leva, s'habilla chaudement dans ses vêtements de ski de fond et fit le tour du parc. Ce fut un peu moins dur que la veille, et elle ne croisa Treize qu'une fois. Le jour suivant aussi. Au printemps, elle faisait sa marche au pas de promenade et, quand vint l'été, elle fit remettre en état son vieux vélo. Treize se tenait enfin tranquille.

Deux ans passèrent. Trois ans encore et la rémission deviendrait guérison aux yeux de la science. Elle avait commencé à travailler quelques heures par semaine dans une jolie boutique de cadeaux, où les autres femmes de son âge rendaient l'atmosphère sympathique. De temps à autre, mais de plus en plus rarement, elle apercevait Treize au loin, Treize dont la faux ressemblait à un accessoire d'opérette et dont elle ne ressentait presque plus les piqûres de moucheron.

Mais, un jour, une douleur saisit Vivi à la jambe. En se penchant, elle vit Treize enrouler les pans de sa cape autour de ses cuisses. Des taches brunes apparurent sur sa peau, menaçantes.

Vivi ne pleura pas. Elle prit simplement rendez-vous chez son médecin en se demandant s'il lui restait assez de force pour cette nouvelle bataille.

Moi, je l'ai rencontrée à la polyclinique, le jour où elle venait de recevoir le résultat de ses tests, et elle m'a donné un lift jusqu'au métro Henri-Bourassa.

— Une infection des cellules, dit-elle en riant. C'est très long à guérir, pouffa-t-elle, j'en ai pour deux ou trois mois à souffrir et à avoir du mal à marcher.

Elle a éclaté d'un long rire de fillette. Puis elle a baissé sa vitre et a crié à l'automobiliste qui se trouvait à sa gauche :

— J'ai pas le cancer ! j'ai pas le cancer, gnagnagna !

Elle a fait vrombir son moteur, a accéléré d'un coup, et a laissé dans sa traînée le pauvre monsieur ahuri de s'être fait faire un clin d'œil par cette très belle femme de cinquante ans. Devant lui, sur le tableau de bord, une petite femme avec une faux, pas plus grande qu'une de ces statues magnétiques de saint Christophe que les croyants mettent pour les protéger sur la route, regardait Vivi s'éloigner avec un regard féroce.

Et moi, je me suis fait la réflexion que quand j'entends des histoires comme ça, je n'ai vraiment pas de raison de me plaindre de mes petits tracas.

◆

— On va tous mourir du cancer, annonce Patricia, joyeuse comme une porte de prison. On vit dans une poubelle à ciel ouvert, appelée la Terre.

Puis, elle demande à Ninon :

— Est-ce que je peux habiter ici, deux ou trois jours ? Mes colocataires hébergent des militants et des militantes palestiniennes et palestiniens réfugiés et réfugiées, il y a plein de monde chez nous depuis un mois.

Bien sûr, Ninon dit oui. Patricia s'excuse immédiatement. Elle est crevée. Avant d'aller se coucher dans le lit de Ninon, elle embrasse Dany et lui dit :

— Je ne suis pas toujours d'accord avec toi, mais je t'aime, petite fille, parce que tu es bonne.

Je lève les pattes et je donne un lift à Dany, qui m'offre de monter chez elle fumer un joint avant de m'en aller chez moi, mais je refuse : à défaut de bien me conduire, il faut au moins que je sois en mesure de conduire ma voiture.

◆

4 février

Quand les filles sont parties, l'autre soir, j'ai lu un peu, puis je suis allée me coucher près de Patricia, qui s'est blottie contre moi dans son sommeil. Je me suis abreuvée à cette source de chaleur humaine, et ça a un peu apaisé ma solitude. Je l'ai serrée très fort, et elle s'est rendormie.

Elle est repartie ce matin. Elle n'avait pas l'air bien solide sur ses pattes de gauchiste, mais il fallait qu'elle retourne accomplir de grandes choses et sauver le monde. Je l'admire beaucoup mais j'ai peur pour elle. Combien d'échecs peut-on encaisser ?

Et puis, cet après-midi, il faisait un froid fou, sec, comme on n'en a pas souvent à Montréal. Moins trente-cinq, quelque chose comme ça : un froid de février qui rappelle que l'on n'habite pas un pays mais un hiver.

Je n'avais rien à faire, je m'accordais une journée blanche dans les pages de l'agenda et j'avais le goût de me changer les idées. Alors je me suis emmitouflée très chaudement, comme quand, petite, j'allais jouer dans la ruelle après les tempêtes, le foulard remonté jusqu'aux yeux. Et je suis allée me promener dans Montréal en jouant à la touriste dans l'époque. J'ai visité les boutiques comme si je feuilletais un vieux Décormag daté d'aujourd'hui.

Que restera-t-il dans dix ans de toutes ces modes, de tous ces designs qui n'ont que leur caractère innovateur comme qualité, de tous ces noms au bas des œuvres ? Certains passeront à l'histoire, d'autres idées géniales ne se démoderont jamais et s'enracineront dans nos appartements. Nous rirons des autres avec des regards attendris, icônes chéries de l'ère de... (c'est à l'avenir de le définir).

Je ne vis pas seulement ma vie. Je traverse aussi un espace-temps qui sera, qui est déjà de l'histoire. Il est très important de s'en rappeler, pour ne pas trop accorder d'importance à ce qui n'est pas important.

C'est comme la musique et les vêtements. On écoute le Big Bazar avec un sourire moqueur, mais Hair ne sera jamais naïf. Je voudrais, quand j'entends un nouveau groupe de musique, pouvoir deviner si on s'en souviendra dans vingt ans. On s'enthousiasme très vite, par les temps qui courent, et on est probablement en train d'encenser de futurs illustres inconnus qui n'auront émergé de la masse qu'une seconde.

La rue Saint-Denis s'étirait d'un clocher à un boulevard, qui, de bourgeois, est passé à branché, ce qui s'apparente passablement ; j'ai suivi Saint-Joseph vers l'ouest et il y a eu Saint-Laurent la très in. Plaisirs urbains. À la campagne, il y aurait eu des bancs de neige blanche plus hauts que moi, et une route serpentante et vallonnée.

La bise s'est levée et traînait sur l'asphalte une poudrerie de glace. Les passants se faisaient aussi rares qu'ils le pouvaient, et pas un robineux n'avait trouvé un petit coin tiède où se réfugier jusqu'à la nuit. Mon haleine s'épivardait devant moi, blanche et affolée. Je suis passée tout droit devant une croissanterie fast food. Plus loin, je suis entrée dans un grand café gris fer, où une serveuse de toutes les couleurs, géométrique, m'a accueillie comme une chouette copine. J'ai commandé un bol de café au lait et me suis casée dans une chaise angulaire. Terrés sous terre même dans trente étages de verre, les Montréalais avaient disparu. Là-bas, un homme feuilletait le Voir. J'ai pensé que cela ferait une photo très nineties. J'avais justement mon appareil avec moi. Une idée, comme ça, de cristalliser le frimas sur papier glacé.

Alors, je me suis levée et, sans mot, je l'ai cadré, de dos, canadienne noire ouverte et chapeau de feutre très « rue Rachel ». Son visage en lame de couteau m'apparaissait dans un angle en biseau. Derrière lui, la pénombre métallique du café, devant, la pâleur de la rue froide. Je l'ai pris alors que la serveuse multicolore lui servait son Perrier citron, et le flash l'a fait se retourner. Je lui ai souri et je me suis avancée vers lui.

— Je peux avoir ton adresse ? Je te l'enverrai.

— C'est une manière d'aborder les gens ?

— Pourquoi pas ! ai-je dit en riant.

— Je peux t'offrir une consommation ?

J'ai transporté mon bol à sa table. (Instant unique : attention, cette image ne sera jamais plus, aussitôt que nous aurons bougé. Elle fera partie de l'histoire d'un après-midi d'hiver, alors que je déambulais dans la ville.)

— Tu es photographe ?

— À mes heures.

C'est pour ça que je parle peu, que je fais des phrases courtes. Parce que, si je commence à expliquer que j'ai été à mes heures tour à tour danseuse, comédienne, chanteuse, disc-jockey, photographe, sculpteure, couturière, peintre, tisserande, potière, poète, ils ne comprennent plus. Ils me trouvent louche, ils me demandent mon nom et, quand ils réalisent qu'ils ne l'ont jamais vu où que ce soit, ils croient que je mens.

La serveuse s'excitait. Elle voulait voir la photo. Elle l'imaginait déjà agrandie, tache de couleur sur le mur mat. Je n'ai rien promis mais cela serait sympathique. Elle en parlera à son patron.

Le gars ne faisait rien de magique ; c'était un étudiant en chômage. Il était inscrit en géographie, quelle drôle d'idée, et il a déjà vendu des chaussures ; voilà que tout le romantisme a foutu le camp. Mais il était gentil, alors j'ai pris son numéro de téléphone (pour la photo) et suis repartie à l'aventure dans la cité.

Le froid n'était plus drôle, j'ai décidé de rentrer. La noirceur venait, je me suis engouffrée dans un autobus qui avait l'air d'une (déjà) vieille publicité de Benetton et je suis enfin rentrée au chaud, haletante, la peau du visage presque mauve. Le répondeur clignotait. J'ai pris connaissance de mes messages en me déshabillant. Entre un appel pour du travail et un rappel de ma dentiste, Joanna. Joanna complètement paniquée, je le sentais dans son rire. Je l'ai rappelée, j'écris ces lignes en l'attendant.

N.

◆

J'étais si bas ce jour-là, que je
ne faisais pas d'ombre.
                    Jean-Pierre Ferland,
                        Y a des jours

Help somebody !
Help somebody !
Je fais un rêve,
Réveillez-moé.
Le train s'en vient
Tchou tchou tchou tchou
Y'arrive su moé !
Hou ! Ha ! Hou ! Ha !
Le train ! Le train va arriver.
Robert Charlebois,
Fu man chu

C'est dans ce guilleret état d'esprit que j'arrive cet après-midi-là chez ma zamie Ninon, oscillant entre le suicide et l'hystérie, l'envie d'une brosse aiguë et la crise de boulimie. Bref, comme on dit dans mon pays, ça vole pas haut. Madame Limoges se sent comme un magasin de porcelaine du même nom, visité par une bande d'éléphants effectuant leur visite touristique dans sa vie à coups de gros sabots (un éléphant n'a pas de sabots, je sais, mais ne flanquez pas ma métaphore par terre ! il y a déjà bien assez de la porcelaine). C'est un cas tout juste bon pour ma Ninon, quoi, une situation sans solution où la dernière ressource consiste à aller brailler comme un veau de sexe féminin dans les bras que Ninon m'ouvre sans poser de questions. Ce que je fais, avant même d'avoir enlevé mon manteau.

— Une chance que je me suis retenue dans la rue, dis-je entre deux sanglots, je me serais retrouvée cristallisée comme les maudits plats à cornichons que ma mère sortait toujours dans le temps des fêtes.

— Arrête de niaiser, Joanna Limoges, de me dire ma tendre copine, pleure donc à la place. C'est bien de ça que tu as envie, non ?

Judicieuse remarque. Je repars donc pendant un bon moment dans ma grande scène de la pleureuse italienne payée au gallon de larmes. C'est finalement la chaleur qui a raison de mes chagrins.

— Laisse-moi te raconter, ma Ninon chérie, la dernière qui m'est arrivée, commencé-je en enlevant mes deux mille épaisseurs (maudit hiver). Ma vie est une blague de Newfie, c'est entendu, et je m'en accommode généralement, mais il y a des limites à vivre son existence comme une *Blue's Sister*, j'en ai ras la casquette, plein le couvre-chef.

Imagine-toi donc que ma dernière passion — je t'ai parlé de mon bellâtre, que j'avais ramassé dans un bar innommable, un soir où j'avais terminé la soirée aussi paquetée qu'un Steinberg le vendredi?

Ninon hoche la tête sans mot dire. Elle attend la suite.

— Eh bien, non content de protester contre le port du latex obligatoire et de reculer comme un vierge effarouché devant mes élogieuses avances un soir sur deux, il a eu le culot de venir passer une fin de semaine chez moi et de rester trois semaines, fouillant dans les archives sportives de mon passé sexuel et apprenant par cœur le nom de ses prédécesseurs, s'accrochant à la belle Joanna comme un bouboumacoute après le pauvre monde, me déclarant sa flamme chaque fois qu'il me disait non. Je devais me rendre à l'évidence : j'étais tombée sur un « je ne suis pas un Jean-Marie couche-toi là ».

Il se cherchait de l'ouvrage, qu'il disait, le beau cœur — avec l'énergie d'une patate-sauce, oui! Et, chaque fois qu'on lui en offrait, il disait non, merci, sans façon, non, vraiment!

Et moi, la poire Bartlett, je payais le loyer et je me ruinais en piles de vibromasseur! Imagine, j'en étais réduite à jouer avec mon corps en cachette dans mon propre lit, aussitôt que je le savais endormi! L'enfer!

— Oui, dit Ninon. Il est parti?

Elle ne niaise pas avec la puck, Ninon, elle va droit au but.

— Ninon, maudite marde, éludé-je, pourquoi je tombe toujours sur des gars qui n'ont pas d'allure? J'ai plein de choses à offrir, à donner, je me sens comme une vente de garage un samedi où il pleut! Pourquoi on me fait du mal?

— Arrête de rire, Joanna Limoges! Respecte donc tes sentiments!

— C'était le dernier amant de ma vie, je le jure! La masturbation me rendra sourde, mais c'était le der-nier! Ou plutôt non, tiens: le prochain, je le ferai payer pour tous les autres! Gang de chiens sales!

— Arrête de me faire ton show, compris? dit encore Ninon, d'une voix qui n'admet plus la frime.

— Je l'ai foutu à la porte cul par-dessus tête, j'ai faxé la facture de ce qu'il m'avait coûté à sa mère, je l'ai abreuvé de toutes les injures que j'avais apprises dans ma ruelle natale, et sais-tu le gag? Je te le donne en mille: c'est moi qui ai pleuré! Et, d'ailleurs, je pleure encore!

C'est, en substance, la conversation que nous avons, avant que je replonge dans des lamentations dignes du mur du même nom et que j'altère sérieusement l'har-monie de mon maquillage, déjà passablement dilué. Le tout ponctué de « J'veux un chum qui m'aime! » chevro-tants. À un moment, Ninon, qui me tient enlacée, com-battant les soubresauts de mes sanglots, dit encore:

– De toute façon, tu aurais fini par l'échanger contre un autre, parce que tu es tellement terrorisée à l'idée de t'ennuyer avec un homme que tu ne peux pas envisager de passer plus d'un an avec le même. D'ailleurs, poursuit-elle tout bas, tu as tout autant peur de t'ennuyer toute seule, et c'est pour ça que tu es tout le temps rien que sur une patte.

Alors, tout d'un coup, je craque. Les millions de fois où je me suis retrouvée dans cet état me remontent à la mémoire, et je m'apitoie avec délectation sur mon sort.

– Je voulais qu'il m'aide, osti ! J'aurais fait n'importe quoi. D'ailleurs, j'ai fait n'importe quoi. Je voulais que ça soit aussi beau que l'histoire que j'étais en train de me raconter !

Mais je ne vais quand même pas faire mon Angéline de Montbrun et pleurer jusqu'à ce que j'aie l'air d'une annonce de Dristan. Je me reprends.

– Ouais, c'est vrai, j'ai pas le cœur à rire, dis-je en trompetant dans mon millième kleenex. Je filerais plutôt pour prendre une brosse. Viens, je te paie un verre. Dis oui, Nini, j'assure la couverture d'un lancement ce soir, je t'emmène, ça va me changer les idées !

Ninon hésite longuement, pèse le pour et le contre, réfléchit aux implications de la chose, et accepte finalement. Sans doute en songeant que ce sera bon pour moi. Ninon, je t'aime, pensé-je.

– Ninon, je t'aime, dis-je donc.

– De toute manière, soupire-t-elle, tu vas te saouler ce soir, autant que je sois là pour te donner le vin gai.

Après avoir rafistolé mes peintures de guerre, on monte dans ma Firefly rose et on roule jusqu'au lieu dit. Les Foufounes ont dévêtu leurs plus beaux atours.

Toute la faune littéraire est là, du plus paumé à la nouvelle coqueluche, pérorant sur le thème de la Littérarité, avec un L gros comme la grenouille de la fable. Je fais un clin d'œil à quelques collègues, tire la langue à quelques ex, et vice-versa. Je déclare publiquement que je suis de nouveau libre et fringante, et la nouvelle se répand dans le bar à la vitesse d'une MTS. Mais je reste calme (il y a des limites à ce que mon petit cœur peut supporter en vingt-quatre heures), et je dirige plutôt Ninon dans ce milieu qu'elle ne connaît que de loin – ce qui, dans le fond, n'est pas bien grave.

Bien m'en a pris : la belle Ninon a finalement accepté, en fin de soirée, le lift d'un musicien que je lui avais présenté. Je l'ai averti, ce grand concombre, avant qu'il n'emmène ma n'amie sur son destrier blanc, que, s'il lui faisait le moindre mal, ma plume acerbe réduirait à jamais sa jeune carrière de vedette rock à l'état de *wet dream*. Était-ce assez clair ?

Quant à moi, j'ai bu comme un trou, j'ai ri comme une folle, et j'ai fini la soirée à brailler dans les bras de l'auteure en l'honneur de laquelle j'étais là, qui, histoire d'avoir une bonne critique, ou à tout le moins une critique tout court, me dessaoula gentiment à coups d'eau minérale avant de me reconduire jusque chez moi. Il faudra que je trouve une manière très polie de dire que je trouve son œuvre profondément poche.

◆

5 février

Il était à côté de moi dans mon lit, et, c'est étrange, je crois que je ne me suis jamais sentie aussi vide. C'était atroce, cette pré-

sence souhaitée, recherchée, quêtée presque, et inutile une fois existante.

Nous avions baisé, il avait fait ce qu'il avait pu, moi aussi, pour faire de ce one night stand une réussite, c'est-à-dire pas plus qu'un demi-échec. Nous avions été actifs, imaginatifs, gentils, discrets, cochons et respectueux, faussement enthousiastes mais pas trop, et maintenant, entre lui et moi, il devait y avoir mille lieues. Plus, dix continents, car le vide était dense, puissant. Il y avait trois personnes dans le lit. Lui, moi et le vide.

On avait baisé pour jouer à l'amour, pour faire comme si, comme si les langues profondément enfoncées dans les bouches, comme si le coït martelant, comme si la peau moite.

Comme si on était en amour.

C'est ça, on avait tous les deux le goût d'être en amour, et le Graal est introuvable, la perle rare se fait rare, l'âme sœur est faux frère, et puis, de temps à autre, le corps réclame son dû, alors on essaie.

Ça donne une baise technique. Ça n'est pas désagréable. Non, cette fois, ça ne l'a pas été. Il n'a rien d'un ignoble macho. Hélas ! il n'a rien de mon mythique prince charmant non plus. Ça a été une nuit plate à mort.

Ça n'a pas d'allure, je n'ai jamais eu aussi froid de toute ma vie. Je fumais ma cigarette comme si un mot m'avait condamnée. J'aurais voulu qu'il parte, je ne voulais pas qu'il parte ; surtout, ne pas rester seule dans ce froid vide.

Il fumait de son côté, l'œil vague, la lèvre ourlée un peu triste. J'ai eu soudain l'impression d'avoir devant moi mon miroir, plein du même vide, plein de la même immatérialité rigide. Je me suis dit : il faut que je fasse une joke, une crise, du café, n'importe quoi, et, à ce moment-là, il m'a pris la main, et m'a dit :

— Rushe pas. Je te demande rien.

Il avait deviné ma fébrilité, je l'aurais embrassé et, comme les conventions du moment ne m'en empêchaient pas, au contraire, *je l'ai fait. J'avais également le goût de pleurer, et là les conventions ne l'entendaient pas de la même oreille, alors je lui ai demandé d'une petite voix craintive :*

— Est-ce que je peux pleurer ?

Il a ouvert les bras comme des portes d'église, je ne sais pas pourquoi cette image me vient, et a répondu :

— Si je peux aussi.

J'ai éclaté en sanglots et j'ai ri. Il a ri et s'est mis à pleurer. Ça a été bon comme une mère, un père, un bébé, j'ai eu des flashes de photos d'époque.

On a dormi, on a déjeuné. L'indice de réussite d'une baise, c'est ce moment-là, et ç'a été merveilleux comme un quotidien de banlieue. On a séparé La Presse en deux, j'ai commencé par la fin comme tous les matins, il a feuilleté le cahier « Alimentation ». Après avoir commenté Foglia, il a demandé :

— Tu pleurais quelqu'un ?

— Oui, je pleurais « Personne ».

Il a hoché la tête. Je me suis sentie comprise, ça m'a fait tout drôle.

— On est rivaux : moi aussi, c'est lui que je pleurais.

On a ri. Mes yeux se sont remplis de larmes.

— Ça devient une manie, ai-je dit en m'essuyant les joues.

— Si on se disait : la première fois, c'est toujours de même ?

— Ça sous-entendrait qu'il y aurait d'autres fois.

— Pourquoi pas ?

Et j'ai soudain eu le goût de recommencer à zéro, de le courtiser longtemps, de me payer de longues fréquentations, d'aller voir des films et de manger de la crème glacée, d'être quétaine comme une Saint-Valentin.

274-5960

C'est son numéro de téléphone.

N.

◆

(Reçue le 27 février)

21 février

Très très chère Ninon,

Tu regardes le timbre, et tu ne comprends pas, pas vrai ? Je t'entends d'ici : « Mais qu'est-ce qu'il fout à Paris ? »

Ma chère, je me suis poussé de l'Afrique avant même que le projet de coopération internationale auquel je devais participer à titre d'observateur ne soit réellement entamé.

En Occident, on passe pour des héros ; ici, on se fait accuser par les groupes d'opposition d'avoir des vues colonialistes. J'étais venu pour aider, et je me suis retrouvé dans une absurde guérilla bureaucratique. Pas moyen de faire comprendre que je m'en fous, de la politique, moi, que j'étais venu pour trouver des moyens de soigner du bétail et de travailler à la multiplication du cheptel domestique. Il m'aurait quasiment fallu mettre ma vie en danger pour justifier mon rôle ! J'aurais été là comme un roi nègre avec mes domestiques, ma maison, ma Land Rover, à dire au monde comment élever, nourrir et accoupler leurs bêtes.

Un jour, j'ai rencontré un vieux bonhomme, en me promenant, et je lui ai demandé, comme ça (il parlait un peu ma langue, vu qu'on est dans l'ancien Soudan français), pourquoi, ici, on semait les légumes, les fruits et les céréales pêle-mêle, une poignée par ici, une poignée par là. Pourquoi, autrement dit, on ne faisait pas des beaux rangs bien droits comme chez nous, quoi ! Il n'a pas eu besoin de me répondre, j'ai compris avant d'avoir fini ma phrase : ils cultivent la même terre depuis dix mille ans, et jamais ils n'ont eu à la mettre en jachère. Elle n'est pas riche, ça c'est sûr, mais ils n'ont pas un coin de terre à perdre pour un an, il y a trop de monde à nourrir.

Là, je me suis sérieusement demandé ce que je foutais là, moi, l'Occidental, avec mes beaux principes théoriques. Je me suis répondu que je n'étais pas à ma place, et j'ai sacré mon camp au plus crisse avant de changer d'idée. J'ai pris le premier avion pour l'Équateur (via deux mille escales, dont Paris, d'où je te poste cette lettre), où je dois étudier les conséquences de la coupe à blanc, mais, d'abord, je compte passer quelques semaines dans les montagnes, à parler le moins possible à des êtres humains parce que franchement, pour l'instant, l'humanité m'écœure.

Par contre, j'ai vraiment le goût de te lire, d'avoir des nouvelles de chez nous. Je ne suis pas prêt à rentrer tout de suite, par exemple, mais il faut que je commence à me préparer à cette idée. De toute façon, je n'ai pas l'intention de me presser pour terminer ce mémoire. Je ne dois pas perdre de vue, non plus, que j'ai une décision à prendre au sujet de mon avenir. Et, jusqu'à présent, je n'ai pas trouvé. J'ai cherché partout ce que je peux bien poursuivre, mais je l'ignore encore. D'un coup que ça serait chez nous ? D'un coup que j'aurais fait le tour de la planète pour me rendre compte que je ne suis capable d'être bien nulle part ? J'aurais l'air d'un beau cave…

Écris-moi, poste restante, à l'adresse qui est mentionnée sur l'enveloppe. J'ai besoin de lire ta plume, d'entendre du québécois dans ma tête, d'avoir des nouvelles du pays.

Je te fais la bise,

                                                        Marc

◆

27 février

Vers cinq heures, on a sonné à la porte. C'est Dany qui s'arrêtait en revenant de l'université. Puis Patricia est arrivée avec des fleurs pour me remercier de l'avoir accueillie pendant trois jours. Ça m'a fait chaud au cœur de les avoir avec moi aujourd'hui. Des chumes de filles, y a que ça qui compte ! Il me restait un peu de hasch. On a fumé un joint. On a brusquement décidé d'aller jouer au pool au Jocus, à Laval. On est parties en métro. On a rigolé comme des adolescentes. Il y avait quelques jeunes baveux qui cherchaient le trouble, et ils l'ont trouvé en la personne de Patricia. Ils n'écœureront plus jamais une fille dans le métro, ils ont eu bien trop peur.

Au terminus de la Société de transport de Laval, Dany a voulu faire du pouce pour la fin du trajet, et Patricia m'a convaincue qu'avec nous trois, le tarla qui menacerait de nous harceler risquait au mieux la castration immédiate, au pire de se voir infliger d'atroces tortures. Mais c'est une voisine de Dany qui nous a fait monter ! Une fille superbe, j'ai senti Patricia fondre de désir sur la banquette arrière.

Daphnée nous a dit qu'elle s'en allait chez elle ; elle nous déposerait en chemin. Mais, en route, elle a déclaré qu'elle avait faim. Patricia s'est mise à rouler un joint. On a stationné sur une belle rue bourgeoise et on a fumé, histoire de s'ouvrir l'appétit, en bavardant mollement. L'habitacle est soudain devenu un lieu clos et privilégié. Dany a souri d'un air ravi et a déboutonné son blouson de jean doublé en flanelle. Elle a engagé la conversation avec Daphnée :

— Toujours avec Céline ?

— Non, on s'est laissées il y a quelques mois déjà.

Dany a alors tourné la tête vers Patricia et lui a fait un sourire resplendissant. La bougresse ! J'avais le fou rire quand j'ai vu Patricia rougir comme une donzelle.

On s'est arrêtées dans un snack-bar et on a commandé une montagne de hot dogs. Je me suis amusée à dessiner des bonhommes avec le tube de moutarde, puis Patricia leur a fait des chapeaux et des moustaches avec le ketchup. Au dépanneur d'à côté, on a acheté de la bière, après s'être longuement chicanées sur les marques. Le propriétaire du dépanneur, qui a fini par en avoir son voyage, nous a poussées vers la sortie.

On est entrées chez Dany sur la pointe des pieds parce que Sylvain dormait encore. On s'est installées au salon devant un vidéo de show rock (la musique ne dérange jamais un rocker). Après les hot dogs, on a encore fumé, puis, le film terminé, on a éteint la télévision et on a décidé d'aller jouer une partie de billard au bar d'à côté. Tant pis pour l'atmosphère du Jocus!

C'est un endroit laid et banal, avec une serveuse cheap, un pusher facile à spotter et du bon rock. Les clients entraient, se commandaient une bière qu'ils terminaient parfois, mais qu'ils laissaient à demi vide la plupart du temps, aussitôt le pusher passé à la table et la transaction effectuée.

On s'est assises près de la table, et Dany a inscrit son nom sur l'ardoise verte. Pendant qu'on attendait notre tour, Patricia et Dany ont acheté quelque chose à fumer à Gilles. Ensuite, on a joué quelques parties de snooker, et le pusher, qui passe de longues heures à pratiquer, a lancé un défi aux vainqueures.

Dany et moi avons gagné, et j'ai abandonné la partie suivante à ma copine, nettement plus forte.

Le pusher a passé ses pouvoirs à Tom, son acolyte, et, sûr de lui, il a laissé Dany casser.

— Je te connais, Gilles, a-t-elle dit, je sais que, si tu touches à la table, tu la vides.

Gilles a fait son faraud. Dany a cassé les boules bien également, et la 6 s'est empochée dans le coin gauche. Pat a dit à Daphnée : « Comment ça a fini avec ton ex ? »

Dany a observé la table. Daphnée a répondu : « À la fin d'une scène de jalousie. »

Un client est entré. Pat a dit : « C'est elle ou toi qui as déclenché la scène ? »

Dany a frappé la 5. Daphnée a dit : « Elle ! Je suis incapable de supporter la possessivité. »

Le gars s'est commandé une bière. Pat a dit : « Tu la trompais ? »

Dany s'est redressée. Daphnée a dit : « Même pas ! Mais j'ai jamais réussi à obtenir sa confiance. »

Le client est allé voir Tom qui lui a discrètement passé une bite dans un papier d'aluminium. Pat a hoché la tête d'un air compréhensif. Dany a étudié son coup suivant. Daphnée a demandé : « Toi, tu es seule ? »

Le gars s'est installé pour regarder la partie. Pat a opiné. Elle a poursuivi : « En fait, j'ai une amante en France. J'irai peut-être la rejoindre à l'automne prochain. Mais il n'y a rien de sûr. »

Un client s'est disputé avec Tom. Gilles a levé les yeux. Le gars a croisé son regard, il a pris son carré en papier d'aluminium en maugréant. Il a payé et il est parti. Dany a frappé la 2 qui est tombée dans la poche. La porte s'est refermée derrière lui.

Un gars a déposé la bière sur notre table en disant : « C'est pour la fille qui joue au pool. »

Et il est sorti. Daphnée a soupiré : « Ah, les amours à distance ! »

« La 7 », a câlé Dany. Pat a dit : « Tu connais ça ? »

« Tu ne l'auras pas », a dit Gilles. Daphnée a dit : « Et comment ! »

Dany s'est couchée à demi sur la table, le dos contorsionné. Daphnée a poursuivi : « J'ai dû faire l'aller-retour Montréal-Chicago trente fois ! Elle était Québécoise mais elle étudiait là-bas. »

Une pitoune a fait son entrée et a réclamé une bière en parlant très fort. Dany a donné un coup très doux et la 7 s'est engouffrée. Pat a dit : « Ça a un côté très romantique. »

Dany a pris une gorgée de bière. « La… la 4 par la bande. » La pitoune a ri encore, et quelqu'un lui a dit : « Ah, ta yeule. » Tom a glissé distraitement un gramme de hasch dans la main d'une fille et a pris l'argent qu'elle lui donnait, sans compter.

Daphnée a répondu : « Oui, bien sûr. Comment ne pas être pas-
sionnée quand tu restes sur ta faim d'amour un mois sur deux ? »

Dany a réussi son coup. On l'a acclamée. « Une bière pour la
fille », a dit quelqu'un. Pat a renchéri : « Oui, c'est un buzz très
fort. Mais vient toujours un moment où la question de la fidélité
se pose. »

Dany a raté le coup suivant. « Ah ! je manque de pratique ! »
a-t-elle bougonné. Gilles a commencé par les plus faciles et s'est
amusé à épater la galerie en jouant d'une seule main. La poupoune s'est approchée de Tom et l'a touché. Il lui a tendu ce
qu'elle voulait. Il a vérifié l'argent qu'elle lui donnait. Daphnée
a approuvé. « Surtout quand ça fait longtemps que tu l'as pas
vue ! Toi, tu baises ailleurs ? »

Gilles tenait sa baguette très haut, de la main droite, son
bras gauche très loin de sa hanche, la paume en l'air, et il s'est
raidi tout le corps en donnant son coup. Tout le monde souhai-
tait qu'il le rate, ça lui apprendrait à ne pas se servir de ses deux
bras. Il en a rentré trois coup sur coup, mais au bout du compte,
la 13 s'est précipitée vers son trou… et la blanche aussi. Dany a
ri. Patricia a dit : « Elle aussi. »

Dany s'est assise d'une fesse sur la table et, d'un élan précis
comme une lame de rasoir, a empoché la 1. La poupoune est sortie. Dany s'est concentrée sur la 3, bien placée. Daphnée a fait
un sourire entendu. Patricia s'est mise à rire en lui lançant un
sourire de connivence. Dany a terminé la partie d'un coup de
baguette magique, et la 3 a rejoint ses semblables. Elle a serré la
main de Gilles, qui l'a félicitée en riant. Les trois petits jeunes ont
fini leur bière et sont partis. Les clients qui regardaient la game
se sont dispersés en discutant avec enthousiasme.

On a fini par retourner chez Dany. En entrant, elle s'est précipitée sur Sylvain, assis devant la télé, qui l'a retenue sur ses genoux.

J'ai souri tristement. La scène a fait remonter en moi les trois
ans de solitude qui ont passé depuis ma dernière aventure

sérieuse, et je me suis sentie soudain très vide. Trois ans déjà que Jean-Jacques est parti sans que je puisse le retenir (ai-je seulement essayé?) et que je suis retournée à ma vie de vieille fille comme on retrouve une vieille amie fatigante.

J'ai fixé mon attention sur la conversation qui roulait sans moi. Il était question d'aller finir la nuit dehors, sur une petite île en bordure de Montréal, accessible par la piste cyclable. On est remontés dans la voiture, parce qu'il faisait très froid. Là-bas, on s'est fait un petit feu sur le bord de la rive gelée pour attendre le lever du soleil. Dany et Sylvain se réchauffaient mutuellement. Près d'eux, Patricia avait laissé tomber sa tête sur l'épaule de Daphnée, qui lui caressait les cheveux. Les souvenirs ont afflué en masse vers ma conscience, mais sont restés flous, déjà égratignés par le temps. L'année qui avait suivi son départ, pleine de larmes, de dessins sombres et de poèmes déchirants. Puis l'année vide. Puis celle que j'avais passée à écrire, interrompue çà et là par quelques jours de travail ou une visite des filles. Le départ de Marc. Et enfin, une histoire d'une nuit, dont il me reste un souvenir de mains étrangères, d'odeurs incompatibles et de silences sans connivence.

J'ai admiré les teintes du ciel quand le soleil est apparu entre les branches. Dany a fait la remarque que c'est ça qui rend la vie supportable : quelques minutes magiques, parsemées ici et là comme des oasis. Soudain, une voix unique a retenti dans le sous-bois.

— Oh ben ! je vous pogne en flagrant délit, là, mes petites snoreaudes !

Je me suis retournée. Joanna Limoges !

◆

Ah ! Quand même, comme les voies du hasard sont impénétrables…

Disons les choses comme elles sont : si je me pro-
menais à cette heure dans les parages de l'Île-aux-
Fesses, ce n'était pas dans le but d'assassiner des
homosexuels. Ma promenade était plutôt motivée par
la vague intention de trouver le courage de me pit-
cher une bonne fois pour toutes dans les rapides.
Cela dit, je vous en prie, ne dramatisez surtout pas. Je
savais fort bien que la vue de la vapeur s'élevant de
l'eau glacée sous l'effet du soleil levant dissiperait
bien vite mon envie de faire trempette pour l'éternité.

La soirée avait pourtant fort bien commencé. Alors
que j'étais sur le point de rentrer chez moi après un
dur après-midi de travail, j'ai appelé mon répondeur
pour voir si, par hasard, il n'aurait pas enregistré une
demande en mariage urgente pendant la journée.
Rien de ce genre ne m'attendait, à vrai dire, mais, ô
surprise ! deux anciens collègues me lançaient une
invitation à les rejoindre au Club Soda. Je vous
accorde qu'ils sont gais comme des Bobinette... Mais
votre serviteur, la pèlerine en jarretelles, ne recule
devant rien pour annoncer la bonne nouvelle : le sexe
nouveau est arrivé, et c'est une excellente année !

Toujours est-il qu'une demi-heure plus tard j'étais
sur l'avenue du Parc, assise avec eux, assez près de la
scène pour qu'on puisse parier sur l'orientation
sexuelle des musiciens et, accessoirement, se livrer à
une saine concurrence, dans le cas où ladite orientation porterait à confusion, quand les projecteurs se
sont allumés et qu'est apparu, dans toute sa splendeur, le plus beau Noir de la communauté haïtienne
de Montréal, j'ai nommé : Queue-de-Béton.

Ah ! Queue-de-Béton... Jusqu'à ce jour, j'en avais
été une fan inconditionnelle, une groopie pâmée et

une critique conciliante. Je suivais sa carrière dans le calendrier des activités culturelles, je m'arrangeais pour me trouver aussi souvent que possible en sa présence, et je lui faisais de beaux yeux à tour de bras (ce qui est toute une prouesse acrobatique).

Quand il jouait de la guitare devant moi, je n'arrêtais pas de regarder ses mains avec fascination, j'en rougissais tant l'indécence de mes pensées me semblait paraître dans mes yeux. J'aurais tout donné pour prendre la place de sa guitare, cinq minutes !

Alors, ce soir, j'ai décidé que ça serait son soir. De toute manière, mes petits copains n'avaient aucune chance de le détourner du droit chemin.

Pendant son spectacle, je n'ai eu de cesse de l'acclamer à m'en claquer les cordes vocales, histoire de réchauffer l'atmosphère. Puis, bien sûr, je l'ai invité à ma table. Je vous fais grâce des travaux d'approche, c'est assez chiant de se les taper sans en plus avoir à les lire, bref je saute dans le vif du sujet, c'est-à-dire dans Queue-de-Béton. Je lui ai expliqué, comme ça, sans en avoir l'air, que, si un ingénieux ingénieur trouvait un jour le moyen d'harnarcher mes pulsions sexuelles, on n'aurait plus besoin de construire Grande-Baleine. Il a paru intéressé. Alors je lui ai innocemment demandé d'où vient son surnom. Devant sa réponse on ne peut plus explicite, j'ai exigé qu'il dépose les preuves sur la table, il m'a répondu que je n'aurais pas le courage de l'y contraindre, et je me suis empressée de lui prouver le contraire.

Quand nous nous sommes retrouvés à la porte du bar, d'où nous nous sommes fait expulser pour cause d'exhibitionnisme, je l'ai entraîné chez lui (avec son consentement, évidemment, quand même !)

Après de rapides présentations – voici Libido, rencontre donc Obsession – qui se sont soldées, ma foi, par une fort joyeuse inondation, je me suis assise sur la glace, histoire de me refroidir sinon les idées, du moins leurs exécuteurs testamentaires. Mais je n'en ai pas été quitte avant d'avoir expérimenté la position du pretzel. Il y tenait. (Ça vous intrigue, pas vrai ? Avouez-le donc, et cessez de chiquer votre gomme pour donner le change, vous ne trompez personne.) Gaïa le bénisse ! En bref, il s'agissait de coucher la volontaire, c'est-à-dire votre narratrice chérie (après s'être assuré qu'elle n'avait pas de douleurs lombaires, sans quoi je ne lui aurais sûrement jamais pardonné, et il le savait), bien adossée contre deux oreillers. Eh oui, c'est encore le gars qui se farcit tout le travail ! Mon partenaire masculin s'étant couché sur moi, sa charmante cobaye, appuyé sur ses genoux, il m'a entretenue pendant un moment des abeilles et du pollen. Après l'habillage obligatoire et l'introduction (dans le sens littéraire ou médical du terme, au choix), il a fait passer une de mes jambes par-dessus lui et il m'a donné un oreiller (parce que c'est un galant homme, d'abord, et un homme respectable, ensuite, qui ne tenait pas à avertir toutes les voisines que son amante avait du fun). Et là, la suite, si j'ai besoin de vous la dire, c'est que vous êtes trop jeune – ou trop vieux – pour lire ce texte.

Et voilà le travail !

J'en suis ressortie courbaturée mais hilare. On était en train de fumer un joint en feuilletant le *Kama Sutra*, déjà prêts à relever de nouveaux défis, quand sa femme, dont j'ignorais totalement l'existence, est arrivée.

Me faire ça à moi.

Moi qui ai raté je ne sais combien de parties de jambes en l'air par simple respect pour des filles que je ne connaîtrais jamais, il a fallu que je me tape la grande scène du départ précipité, en tâchant d'éviter les projectiles qui m'étaient destinés (comme si j'avais quelque chose à voir là-dedans).

J'ai foutu le camp en les laissant s'engueuler (et en oubliant les trois quarts de mes sous-vêtements, bordel de merde) et je me suis dirigée vers Bordeaux, animée par le désir de retrouver mes copains fifis ou, à défaut, d'en finir avec la nuit.

Riez, les filles, je vous en supplie, sinon, je vais me mettre à chialer comme un veau.

En tout cas ; je suis fière d'annoncer que je suis sur la grosse go depuis quatre heures cet après-midi et que je tiens toujours ! Qui dira mieux que cette fêtarde au dessus cuivré ?

Au fait, vous avez remarqué ma nouvelle teinture ?

Ninon, tu conduirais ma voiture ? Je suis paf. Au fait, le petit musicien que je t'ai refilé l'autre soir ? Comment « ta gueule » ?

28 février

Nous ne nous reverrons pas. Ça n'a pas marché. Comment deux vides pourraient-ils se combler ?

N.

CHAPITRE 3

Où l'on élabore sur les héroïsmes ordinaires

Procès-verbal d'une grande épouvante

Ordre du jour
0. Présences (quelqu'un manque à l'appel !)
1. Breefing (histoire de se mettre au courant)
2. Patricia se promène dans les dédales du droit
3. Voir Bungalowpolis et vomir, par votre inconcevable pigiste
   3.1. Tiens ! Comme le monde est petit ! Dany !
   3.2. Conte pour cœurs bien accrochés, une fable de Dany Lamont
   3.3. Là, ça va faire !
4. But et objectif : sauver, dixit Patricia Chaillé
5. Dany a la frousse, conte pour faire peur aux petites filles
6. Enfin, des nouvelles du héros !
7. Soleil, soleil…, par Jojo Limo
8. Fascisme et indifférence, par Patricia Chaillé
9. Allumez le thermostat, par Joanna Limoges

1er mars

La sonnerie du téléphone émettait un son strident et, dans le noir, je n'arrivais pas à le saisir. Je suis parvenue à allumer la lumière et j'ai répondu.

Sa voix, nerveuse, cassée, me parvenait à travers des parasites agaçants. Derrière elle, j'entendais des sons inquiétants : bruits de coups, cris, ordres en espagnol.

— Dope, espionnage, je ne sais pas trop, j'ai rien fait, Ninon, sors-moi de là !

Ça m'a pris un certain temps à réaliser que j'étais réveillée, que c'était Marc qui me parlait, qu'il était au loin et que ce n'était pas une farce.

Qu'est-ce que je fais, qu'est-ce que je fais ?

Patricia, vite.

N.

P as besoin de vous faire un dessin, je suppose que vous avez compris la gravité de la situation et l'objet de ce chapitre. On a osé toucher à quelqu'un que nous aimons, et ça ne se passera pas comme ça, je vous en passe un papier.

Remarquez que, moi, ce que j'en dis, c'est ce que Patricia m'a raconté, parce qu'à vrai dire je n'ai pas grand-chose à voir là-dedans. Ce soir-là, votre petite Joanna bûchait comme une dingue sur un topo qui devait être livré pour le magazine culturel du lendemain (j'en fais des tas de choses, hein ? ah ! pige, quand tu nous fais vivre !) et qui fut prêt à temps, bien entendu. On ne m'imaginerait pas respectueuse des deadlines, avec l'air que j'ai, mais sachez que je suis ponctuelle comme un éjaculateur précoce.

Mais Patricia, elle, était chez elle. Elle a répondu, la voix empâtée (avant de se rendre compte qu'elle contribuait au réchauffement de la planète, elle fumait comme une cheminée, elle en a gardé une voix à la Tom Wait), mais l'esprit en alerte. Elle est habituée aux urgences.

— Marc, a soufflé Ninon. En prison en Équateur. Je ne sais rien, Patricia, mais il faut que tu le sortes de là !

Ça, ça vous réveille une femme ! Ma Patricia s'est vue bondir de son lit comme dans les vues, sauter dans son pantalon et sortir de la chambre le poing en l'air en criant : «En route vers de nouvelles aventures !»

— Le temps de me trouver une cabine télépho-
nique pour me transformer en Superwoman et j'arrive, a-t-elle répondu, goguenarde.

— Excuse-moi, a balbutié Ninon. Patricia, il avait
l'air vraiment paniqué. Ce n'est pas son genre. Ça doit
être très grave. Il a dit qu'il avait rien fait, Patricia !

— Il n'allait quand même pas te faire une confes-
sion complète au téléphone, non ? Après tout, on n'a
jamais su ce qu'il foutait tout le temps à l'étranger, ce
ne serait pas surprenant qu'il soit mêlé à quelque
chose de louche.

— Il m'aurait passé un message, il aurait été moins
véhément, je le connais !

Ninon était tout énervée. Notez la date et l'heure,
les amies, parce que ça n'arrive pas souvent. Patricia
l'a très brièvement rassurée, mais l'heure, comme on
dit, n'était pas aux attendrissements.

— Je vais faire quelques téléphones.

— Amnistie internationale ?

— Ne rêve pas, Ninon, on va commencer par l'ambassade, les députés… S'il est accusé de trafic de stu-
péfiants, on ne pourra pas faire grand-chose. Mais, s'il
s'est tout bonnement mis les pieds dans les plats, on
va tâcher de le sortir de là avant qu'ils aient coulé le
ciment dedans. Reste chez toi au cas où il rappellerait.
Salut.

Donc, voilà ma Patricia sur le sentier de la guerre,
pendant que Ninon essaie de rationaliser sa peur.
Moi, à la place des méchants, je reviendrais immédiatement sur mes positions. Ce qu'ils feraient sûrement,
d'ailleurs, s'ils savaient à quelle tête de cochonne ils
vont avoir à faire. Je lui laisse la parole, ça va vous
donner une idée de ce que je veux dire.

◆

Pamphlets équatoriens

par Patricia Chaillé

Dans l'aube nordique, noire et sournoise, on sait instantanément que le téléphone qui sonne ne peut être de bon augure. Comme de fait : la nouvelle glace le sang encore plus que le froid. Marc vient d'être arbitrairement arrêté en Équateur. Son hôte et lui ont été emmenés sans autre forme de procès en prison équatorienne. Aucun motif n'est invoqué pour l'instant.

Je suis prête. J'ai refait mes forces. Je ne lâcherai pas mon os, messieurs les tortionnaires.

Mais c'est la première fois que l'affaire dont je me charge concerne un ami. Cette fois, je peux m'identifier à autre chose qu'à une photo et qu'à un résumé succinct du cas. Mauvaise affaire.

Ça me prend absolument le motif de son arrestation ! Je contacte l'ambassade équatorienne au Canada, puis une amie avocate spécialisée en droit international, puis de nouveau l'ambassade. À tout hasard, j'appelle quelques amis, membres de groupes sociaux prêts à organiser rapidement un moyen d'action percutant.

Mais, en tant que membre active d'Amnistie internationale, je sais que, si Marc est inculpé de trafic de drogue, nous ne pourrons rien faire pour lui, puisque cet organisme ne s'occupe que des causes politiques.

À midi, je rappelle donc l'ambassade. Selon la version officielle, le citoyen équatorien chez qui Marc a

été trouvé serait un syndicaliste, un activiste dangereux. On parle d'accusation de complot contre le gouvernement.

◆

Moi, bien sûr, pendant ce temps-là, pauvre petite
innocente, je ne suis toujours au courant de rien, je
fais ma vie, heureuse comme une mante religieuse
dont le snack-bar est vide (c'est-à-dire très relativement sereine et passablement déprimée), sans savoir
qu'un drame se joue (et se joue de nous, qui plus est).

C'est en me rendant à la Maison des arts de Laval
par un « beau » jour de mars (c'est une image) ver-
glacé comme un gâteau de mariage, alors que je
compte faire ma prochaine chronique sur l'état de la
culture en banlieue (oui ! il y a de la vie après le pont
Viau !), que je prends Dany sur le pouce, à côté du
métro Henri-Bourassa. Elle n'en sait pas plus que moi,
la chère enfant, et pendant le trajet, nous devisons
anodinement de la vie, l'amour et la mort, et, pour
tout avouer, nous sombrons corps et âmes dans le cliché. Je n'en suis pas certaine, mais c'est peut-être l'air
ambiant de la ville-dortoir qui nous engourdit l'intel-
lect. Alors que je fais un détour pour aller la reconduire à Chomedey, Dany, en Fanfreluche accomplie,
me raconte une anecdote qu'elle dit avoir entendue
dans un de ses cours de sociologie :

— Tiens, celui-là, on l'appellera : Conte pour cœurs
bien accrochés.

Il était une fois une petite fille qui aimait les crino-
lines et la crème glacée, les bébés chiens et les parties
de chatouille.

Un jour, son papa eut un grave accident de travail et perdit à moitié l'usage de ses jambes. Il se retrouva chômeur, et sa maman dut redevenir secrétaire pour subvenir aux besoins de la famille. C'était difficile pour elle. Dans Pont-Viau, les voisines levaient le nez sur cette famille à l'envers. Et puis ses parents devaient l'aider financièrement, et cela la gênait beaucoup. Ils n'avaient jamais aimé son mari, qu'elle avait épousé « obligée » à dix-neuf ans, et le rendaient presque responsable de son propre malheur; tu sais, elle faisait partie de ce genre de famille qui t'aide, mais qui réclame une humiliante gratitude pour chaque sou parcimonieusement donné. Pauvre maman !

Mais la petite fille, elle, aimait beaucoup son papa. C'était le plus chouette papa de la rue. Il l'appelait Dany plutôt que Danièle. Il lui lisait des histoires, passait des heures à faire des casse-tête avec elle, lui construisait des jeux — des mobiles, des animaux de carton, des maisons miniatures. Il lui cousait même des robes pour ses poupées, quand il avait le temps. Et puis il y avait les parties de chatouille.

Elles commençaient généralement quand il lui donnait son bain. Avec la débarbouillette, il lui lavait soigneusement les petits coins. Puis, sans en avoir l'air, il commençait à la chatouiller sous les bras, sous les pieds, aux hanches et là où elle était le plus sensible. Et elle riait, elle riait, elle lui disait d'arrêter et il continuait jusqu'à ce qu'elle en pleure de drôles de larmes.

Un jour, elle avait peut-être quatre ans, elle réalisa que ses frères, eux, n'étaient pas faits comme elle. À partir de ce moment-là, elle épia ses frères et son papa quand ils allaient aux toilettes, pour voir cette drôle de chose molle qu'ils secouaient après avoir fait pipi. Quand elle questionna son père à ce sujet, il fit comme d'habitude : il répondit à ses questions. Il lui montra sa drôle de chose à lui, l'invita à la toucher, et elle rit quand celle-ci se mit à grandir et à devenir toute raide.

Le soir venu, elle alla se coucher dans sa chambrette et rêvassa à la chose de son père. Elle venait de s'endormir, quand la porte de sa chambre s'ouvrit et qu'il entra.

Dès lors, ce fut comme ça tous les soirs quand maman travaillait. Dany allait se coucher et, quelques minutes plus tard, papa entrait.

Là, il y a un trou de mémoire. Elle sait que, plus tard (elle allait à la maternelle), un soir, elle pleura, résista à papa, mais, alors, il la retourna comme une crêpe et lui donna une volée. C'était la première fois. Alors elle ne résista jamais plus.

Là, il y a un autre trou dans le temps, elle sait seulement qu'elle était en première année. Puis il y a le visage de sa mère dans l'encadrement de la porte, au-dessus de l'épaule de papa, c'est comme une photographie prise dans un drôle d'angle, un visage qui a longtemps peuplé ses cauchemars, avec au centre un regard vide, indifférent comme une condamnation.

Là, il y a encore un long long trou de mémoire, avec seulement quelques photographies, ici et là. Il y a le jour où son père meurt d'un infarctus, et sa longue mononucléose à elle. Il y a le nouveau chum de sa mère, qui la regarde d'un drôle d'air et qui la rend mal à l'aise. Il y a ses frères, qu'elle n'a jamais aimés, qui partent enfin de la maison.

Puis, un soir, à seize ans, elle émerge. Son premier chum, le beau Patrick, qu'elle a rencontré à la polyvalente Saint-Maxime, essaie de la toucher *là*, et alors il y a cette fuite sur le boulevard Curé-Labelle, dans la neige, sans manteau, il y a cette porte qu'elle ouvre, la porte de la Brasserie 68, dans laquelle elle pénètre, où il fait chaud et où il y a du bruit, et puis tous ces hommes qui la regardent, qui ont tous le visage de son père, jusqu'à ce que l'un d'entre eux avance superlentement vers elle et dise doucement son nom, comme on parle à un minou traqué ; c'est un voisin qui a toujours été très gentil avec elle, un étudiant en informatique à peine plus vieux qu'elle, qu'elle croise quand elle va se baigner au cégep. Elle se rappelle qu'elle lui dit : « Ramène-moi chez nous » en haletant.

À partir de ce jour-là, c'est drôle, c'est comme un négatif de photographie, cette fois. Le noir est devenu blanc, et le blanc est devenu noir. Elle a oublié les souvenirs et elle se rappelle des trous de mémoire. Elle part de chez sa mère sans explication et va s'installer chez une tante très gentille, qui l'accueille à bras ouverts sans lui poser de questions. Elle finit son secondaire deux mois plus tard, vaille que vaille, puis, pendant l'été, tombe en amour avec son « sauveur » et va habiter avec lui en septembre.

◆

Quand elle a terminé son récit, j'ai tourné la tête vers elle et je l'ai regardée d'un drôle d'air. J'étais bien consciente qu'elle venait de transgresser sa sacro-sainte loi : « Je ne parle jamais de moi », mais je ne savais pas si je devais dire quelque chose ou me taire. Je ne comprenais pas ce qu'elle attendait de moi. Sauf qu'on était rendues à destination et un conducteur à chapeau faillit emboutir ma fragile Mouche-à-feu quand je freinai. On écourta les adieux, on s'embrassa, et elle descendit de la voiture. Pas longtemps après, pour en revenir à nos brebis, Patricia appelait Ninon, qui n'avait pas cessé de fixer le téléphone.

— Écoute, je ne sais pas si je panique ou si c'est vraiment très grave, mais le fait est qu'il n'y a pas moyen d'obtenir des informations. Et Amnistie ne voudra pas s'en mêler à moins qu'on n'apprenne que Marc est torturé.

Ninon s'est mise à jouer aux castagnettes avec ses molaires.

— Tu le leur as demandé ?

— Je n'ai pas besoin de poser la question, je le sais ! J'aurais fait la même réponse. Il n'y a qu'un moyen.

— Lequel ?

— Que j'aille là-bas. En mon nom personnel.

Disons les choses comme elles sont, ça lui en a bouché un coin, à la mère Ninon.

— Tu sais ce que tu risques ?

— Mieux que tu ne peux le savoir.

— Patricia, tu es complètement folle.

— Ninon, si tu savais ce que tu pouvais faire pour sortir Marc du trouble, tu partirais tout de suite, pas vrai ?

— Oui. Tout de suite.

— Bon, eh bien, toi, tu ne sais pas mais, moi, je sais…. peut-être.

— Marc n'est pas ton plus vieux chum.

— Non mais c'est le plus vieux chum de ma meilleure amie. Et puis, franchement, j'ai enfin une occasion de faire quelque chose d'important, avec une

conséquence directe, et je ne raterai pas ma chance.
Égoïste comme motif, hein ? Ninon, tu peux faire
quelque chose pour Marc. Je n'ai pas d'argent pour
aller là-bas. Je ne sais pas quand je pourrai te rem-
bourser, ni même si je pourrai.

— On s'en câlisse-tu ! O.K., viens-t'en. Appelle
Joanna pour qu'elle te conduise à Mirabel. Je
t'attends.

Il était temps qu'on pense à moi, nom d'une pipe,
j'allais me vexer.

Le problème, c'est que je revenais de mon rendez-
vous avec Sa Seigneurie Laval Premier, directeur de
la Maison des arts de Laval, dont la sœur est responsable du théâtre d'été, et dont la troupe monopolise la
salle tous les ans, dont l'oncle, fonctionnaire munici-
pal, bloque l'arrivée du métro à Laval depuis dix ans,
et que Patricia considère comme personnellement
responsable du quart de la pollution montréalaise, et
ainsi de suite. L'organigramme de l'île Jésus !-que-c'est-
loin ! ressemble à un arbre généalogique. Nos voisins
immédiats du nord ont beau vivre dans la deuxième
plus grosse ville du Québec, il y règne toujours un
esprit de clocher typiquement villageois. Le bonhomme m'a parlé de Sa mission, Sa ville, Sa troupe,
Sa maison des arts, Son cégep, tant qu'à y être, et, en
sortant de là, je me suis précipitée vers l'autoroute 15,
pressée de retrouver la bonne odeur de moisissure et
de monoxyde de carbone de la grosse Hochelaga.
C'est là que mon cellulaire a sonné, qu'un crétin m'a
fait un tête-à-queue dans une courbe, que j'ai
échappé le téléphone sous mon frein et que j'ai fait
un superbe double salto arrière dans le terre-plein
boueux (j'exagère à peine).

Mouche-à-feu est saine et sauve, mais ça n'a pas arrangé sa suspension, déjà passablement bancale. Quoi qu'il en soit, enfoncée jusqu'aux essieux dans la bouette, j'avais désormais tout mon temps pour répondre au téléphone, en attendant que le grand empereur To-Wing, juste descendant de la dynastie des Béding-Bédang, vienne m'extirper d'un espace appartenant à la Voirie.

— J'arrive, ai-je dit à Pat. J'ai le temps de passer chez moi avant, je serai là à temps pour te conduire à l'aéroport.

Et c'est là que j'ai décidé que ça allait bien faire, tous ces drames. J'allais boucler mes valises, appeler mon agente de voyages, prendre le premier vol direction plage et m'écraser au soleil pendant une semaine. Au diable les peines, les potins et les bancs de neige! À moi la mer, la tequila et les beaux gars!

Mais n'allez pas croire que je me lave les mains du cas Auger: j'ai accompagné Patricia à son avion et, pendant le trajet, elle m'a tout raconté depuis le début. Puis, mon départ étant prévu quatre heures après le sien, j'ai écrit une chronique incendiaire sur l'inertie du gouvernement, des ambassades, des fonctionnaires et, pendant que j'y étais, des chauffeurs d'autobus, qui, je l'espère, soulèvera un peu de la poussière qui s'accumule un peu trop vite à mon goût sur certains dossiers. J'ai tapé tout ça sur mon ordinateur de poche et j'ai télécopié le texte à mon canard. Le dossier est entre les mains de Dieu mon rédacteur en chef (qui est barbant mais efficace), et ça va barder dans les médias cette semaine, c'est moi qui vous le dis. Je vais juste revenir à temps pour recevoir les honneurs et les lauriers, armée

par ailleurs d'un bronzage à faire pâlir un cancéro-
logue.

Tout est calculé.

◆

Voici un Conte pour faire peur aux petites filles.

Il était une fois une jeune fille du nom de Dany
qui s'en allait voir une amie musicienne faire un
petit spectacle dans un lointain centre communautaire. Il lui faudrait, pour se rendre, partir dès la brunante.

Avant de partir, elle alla embrasser son chum qui
venait de se réveiller. Il lui offrit des champignons
magiques. Elle songea que le spectacle n'en paraîtrait
que meilleur et plongea sa main dans le sac. Elle fit la
grimace en mâchant les petits morceaux secs et si
amers. Elle ne s'habituerait jamais au goût ! Selon son
ami, l'effet commencerait à se faire sentir dans environ une heure. Elle s'attarda un peu dans le lit avec
lui, puis l'embrassa et sortit.

Elle fit de l'auto-stop, comme à l'accoutumée. Un
jeune monsieur fort distingué la fit monter dans sa
belle grosse voiture américaine. Ils se reconnurent
tout de suite : il venait fréquemment rendre visite à
une voisine de Dany, qui habitait comme elle au Bellerive. Il s'enquit de sa destination.

— Tu as de la chance, lui dit-il, je me rends justement à Saint-François, où j'habite. C'est très loin, tu
sais. Tu n'as pas peur de faire du pouce ?

La jeune fille avait appris à se méfier de cette
phrase dans la bouche d'un prétendu bon Samaritain.

— Pourquoi ? Vous êtes un maniaque ?

Le jeune monsieur rit grassement et la rassura. Il trouvait seulement risqué, pour une jeune et belle femme, de monter avec des inconnus qui pouvaient être dangereux. Mais lui, ce n'était pas pareil, il n'était pas un inconnu. Elle détourna la conversation en abordant un sujet plus anodin.

Ils arrivèrent bientôt à une petite route étroite et sinueuse qui longeait la rivière des Mille-Îles. Il faisait de plus en plus noir. À cet endroit, la région devenait carrément campagnarde : un bois dense séparait chaque habitation, elle-même enfoncée dans la forêt, loin de la route. De loin en loin, une boîte aux lettres indiquait que des lieux habités ne se trouvaient pas loin, mais on les devinait à peine à travers les branchages. La jeune fille voyait aux adresses fluorescentes qu'elle n'approchait pas vite de sa destination. Aucun chemin de traverse ne se profilait à l'horizon. La conversation avait tari, et le silence s'installa lourdement dans l'auto. La jeune fille se tint bientôt sur ses gardes, guettant les mouvements de son bienfaiteur.

Soudain, une idée épouvantable lui vint. Doucement, elle se tourna pour regarder si, derrière le siège, quelqu'un ne se serait pas dissimulé. Elle soupira malgré elle. Il n'y avait personne. Mais son soulagement fut de courte durée. Le claquement sec des verrous lui révéla ce qu'elle craignait : les intentions du jeune monsieur n'étaient pas nobles.

— Laissez-moi descendre !

Que ferait-elle donc, lui demanda le monsieur avec un sourire, à cette heure (il faisait maintenant nuit noire), en pleine campagne, à des milles de tout commerce ? Dany maudit mentalement cette ville qui n'avait de citadin que le nom, mais tâcha de conserver son calme.

— Je le dirai à ta blonde! menaça-t-elle.

— En auras-tu l'occasion?

Elle frissonna. Soudain, une lueur apparut au détour de la route: un îlot touffu apparaissait au milieu de la rivière des Mille-Îles, relié à Laval par un rudimentaire pont de bois. Le chauffeur obliqua et le traversa de quelques tours de roue. Il arrêta le véhicule, klaxonna deux fois et attendit. Dany respira rapidement, prête à tout.

Deux hommes sortirent de la maison et, alors seulement, l'ogre déverrouilla les portières.

— Sors, lui dit-il.

Elle descendit lentement, sans quitter des yeux les valets. Ils tenaient en laisse quatre démons aux yeux de feu, dont les gueules s'ouvraient sur d'énormes crocs d'ivoire. Chaque canine descendait le long de leur mâchoire.

Le vent se leva d'un coup pour accueillir Dany par un sarcasme atroce.

— Elle est gelée comme une balle, dit l'homme.

— Approche, dit l'un des vassaux.

Mais Dany ne bougea pas. Fascinée, elle regardait les dizaines de trolls qui sortaient de derrière tous les arbres, tenant chacun une lanterne à la main, et répétant tous, comme une litanie:

— Tout le monde te l'avait dit, tout le monde t'avait toujours dit que ça t'arriverait un jour, tout le monde te l'avait dit...

Et ils se mirent à danser, créant des arabesques de lumière avec leur fanal. L'un des valets sortit de son veston de cuir un long poignard arabe, recourbé, et répéta:

— Approche.

L'autre bougea-t-il les lèvres? Les quatre molosses, qui étaient restés assis très sagement, se mirent à tirer sur leur chaîne. La bave coulait de leur gueule. Leurs yeux exorbités lançaient des flammes qui venaient lécher les cuisses de Dany. Elle ne les quittait pas des yeux et, pourtant, elle vit derrière elle l'ogre faire un geste. Un valet lâcha un des démons, qui bondit vers elle. Elle leva les bras en hurlant. Mais le chien se précipita dans les bras de son maître et les trolls hurlèrent de rire dans la tête de Dany.

— Approche.

Elle fit trois pas. Elle sentait les museaux humides des gargouilles sur sa peau, à travers son pantalon et elle eut un geste de répulsion. Le valet noir lui saisit la nuque.

— J'espère que tu as peur, je veux que tu aies peur.

Elle planta son regard dans le sien et elle vit l'infinitésimal vide.

L'enfer était donc une île? Elle sentait celle-ci bouger au gré du courant qui voulait les entraîner loin vers le fond des ténèbres. Le mal de mer la prit. Elle tomba à genoux et vomit spasmodiquement. L'un des chiens en profita pour venir fleurer son sexe, encouragé par l'homme qui le tenait maintenant mollement en laisse. À l'intérieur de la maison, le téléphone sonna. Le valet violet se précipita.

Dany roula par terre, renversée par le roulis de l'île, qui venait de rompre son amarre et se précipitait vers l'abîme du fleuve. Le valet violet ressortit de la maison.

— Ils ne peuvent pas venir, c'est nous qui devons y aller, dit-il seulement.

— Qu'est-ce qui se passe ?

— Le stock n'est pas encore arrivé. Et puis il y a de l'agitation dans le secteur, ils veulent du renfort.

Les trolls, déçus, lancèrent des étincelles sur Dany.

— On l'emmène, décida l'ogre.

Le valet violet la fit mettre debout et la poussa sur la banquette arrière de la voiture. Les deux autres montèrent à l'avant, après avoir attaché les chiens. Au moment où ils allaient fermer les portières, tous les trolls de l'île s'engouffrèrent dans l'automobile, et un vacarme assourdissant emplit la tête de Dany.

Devant elle, se profila soudain un paquet de cigarettes sur lequel trois petites fées blanches attendaient, couchées, qu'on les immolât. Une main tendit à Dany l'objet du sacrifice, un cylindre d'argent, et on lui ordonna de sniffer. Elle s'exécuta.

L'un des trolls, un petit être mauvais tout vêtu de rouge, lui fourra une outre dans la bouche.

— Bois, bois, bois, hurlèrent les autres.

Elle avala le liquide ambré, et le feu fut dans son corps. Elle sentit l'auto s'élever au-dessus de l'eau et rejoindre la Grand'île. Les vilains lutins fouillaient son corps, la bourraient de petits coups pointus.

L'auto ne touchait plus terre. Le gris pâle de sa carrosserie irradiait, éclairant l'intérieur noir de la voiture. Tous les trolls étaient devenus translucides, mais restaient menaçants.

Ils arrivèrent à l'autoroute, où la voiture s'accrocha aux fils de lumière lancés par les lampadaires qui se relayaient pour que la voiture ne touche jamais le sol. Un lutin ouvrit la fenêtre, et Dany put respirer plus à l'aise. Elle remarqua la beauté du pont suspendu sur lequel ils roulaient. Ses idées se remettaient en place.

Elle remercia l'ogre qui lui tendait un bâton de feu incandescent et aspira une bouffée. Un fakir apparut dans les volutes de la fumée.

— Tu es en danger, lui chuchota-t-il à l'insu des trolls. Attends qu'ils quittent l'autoroute, puis ouvre la voiture et saute. Ils n'ont pas verrouillé les portières. Ils t'ont oubliée. Ils vont bientôt ralentir, tiens-toi prête !

En effet, ils empruntaient une sortie. Ils s'arrêtèrent bientôt à un feu rouge.

— Vas-y ! cria le fakir, maintenant !

Elle poussa la portière et se mit à courir, gênée par ses bottes à hauts talons. Le valet se lança à sa poursuite, mais elle traversa la rue et, la lumière passant au vert, la circulation reprit, la sauvant temporairement. Le fakir avait disparu, mais des djinns féminins dansaient dans les phares des voitures, sans crainte de se faire écraser.

Elle se trouvait en plein milieu d'un immense parc industriel, désert à cette heure. Les cours des sombres bâtisses recelaient mille pièges, et les rues transversales ne menaient nulle part. Elle vit l'homme vêtu d'un jean et d'un chandail violet se précipiter vers elle et elle reprit sa course. Le talon de sa botte lâcha net. Elle se retourna et fit face à l'homme. Elle bénit mentalement la cocaïne qui lui avait fait recouvrer ses esprits.

— Vas-y, avance ! lui cracha-t-elle au visage, les poings serrés, arrêtant son mouvement. Viens si t'as pas peur !

Elle se tenait les poings serrés. Il hésita une seconde, étonné. La voiture fit un virage en U pour venir les rejoindre.

— Ton numéro de plaque, c'est QXH 110, hurlat-elle au jeune monsieur, t'as une Plymouth Mercury gris acier de l'année, un domicile situé au 12401 du boulevard des Mille-Îles Est, poursuivit-elle, étonnée elle-même de se rappeler tous ces détails.

Cela arrêta l'élan du sbire et de ses acolytes. Ils se concertèrent du regard. Une voiture passa près d'eux et ralentit en les dévisageant. L'homme en violet remonta dans la voiture. Ils démarrèrent rapidement et lancèrent son sac à main dans la rue. Dany enleva ses bottes pour courir plus commodément. Puis elle leva le pouce. Son cœur palpitait follement. De temps à autre, une image irréelle venait perturber sa lucidité, mais elle s'efforçait de surmonter sa panique.

Un gars ralentit, puis, voyant son manteau couvert de vomissures, il accéléra. Une Volkswagen Coccinelle peinturlurée passa. Elle fit de grands signes aux occupants, qui s'arrêtèrent. Elle courut vers eux et ouvrit d'emblée la portière.

— Aidez-moi, je vous en prie ! Un gars qui m'a prise sur le pouce veut me faire du mal ! Emmenez-moi jusqu'au boulevard des Laurentides !

— Tu es dans le mauvais sens ! On ne va pas par là !

— Aidez-moi, je vous en prie, gémit-elle.

Les deux gars — deux gais, manifestement — se consultèrent. Soudain, elle reconnut derrière eux l'auto grise, qui faisait demi-tour pour revenir vers elle.

— Les voilà, ils sont là ! hurla-t-elle.

Tout se passa très vite. Le chauffeur eut le réflexe d'écraser l'accélérateur ; le passager, celui de saisir la taille de Dany, et ils roulèrent ainsi un nombre incalculable de secondes, Dany appuyée par un bras à la portière ouverte et par un pied au bas de l'auto. Puis

elle parvint à se glisser derrière le siège, en s'emmê-
lant dans la ceinture de sécurité, et s'écrasa en sanglotant sur la banquette.

— Excuse-moi, dit, penaud, le chauffeur, j'ai eu
peur que ce ne soit une histoire de pègre.

— Es-tu correcte? demanda l'autre.

— Oui, dit Dany en essuyant son visage à son
manteau, ça va aller.

— Où on peut te laisser?

— À l'hôpital que je vous indiquerai, si vous allez
jusqu'à Montréal.

— On n'y va pas mais on va y aller, balbutia le
chauffeur.

Quand elle descendit, elle n'entra pas à l'hôpital
mais sonna plutôt à la porte d'un havre situé juste en
face, où son amie Ninon lui ouvrit les bras dans lesquels elle se jeta en sanglotant.

◆

6 mars

*Dany s'est enfin endormie. J'ai téléphoné à son chum pour
qu'il vienne la chercher quand il finira de travailler, demain
matin. Dany la petite fille vient de perdre son innocence et de
rejoindre l'âge de ses papiers d'identité. Elle qui n'avait jamais
voulu croire qu'il y a des mauvais sur la terre vient d'échapper
au grand méchant loup. Elle leur trouvait toujours des excuses,
mais ce soir elle a affronté la réalité — sur les champignons,
pauvre elle! — dans toute sa cruelle laideur.*

*Je lui ai fait couler un bon bain chaud, je suis restée avec elle
pendant qu'elle s'efforçait maladivement d'effacer, au moins sur
son corps, toute trace d'agression, et j'ai remercié le père Noël*

qu'elle s'en soit tirée à si bon compte. Puis je lui ai fait boire un chocolat chaud et je l'ai couchée dans mon lit sous un épais édredon. Malgré la chaleur, elle tremblait encore.

Je lui ai expliqué comme une grande sœur que nous passons presque toutes par là, mais que certaines frôlent de plus près que d'autres la Mort Rouge. Puis, comme Patricia l'aurait fait, je lui ai annoncé qu'elle faisait désormais partie des statistiques de victimes d'agression sexuelle.

Et je rêve en cet instant d'un monde où l'on ne réduirait pas en cendres les beaux rêves des petites filles tocsonnes, qui se croient plus fortes que le Bonhomme sept heures.

Ma maison semble un havre, une halte routière pour déstabilisés en tout genre. Pour Pat l'escaladeuse, je fais office de cordage; je suis le seul lien entre Marc et sa vie; Joanna vient quérir auprès de moi des réponses, comme si j'étais censée les connaître et Dany se garroche comme un oiseau paniqué dans ma fenêtre.

Le téléphone sonne.

N.

◆

Carnets de voyage

par Marc Auger

San Jose

Je débarque à l'aéroport de Quito, la capitale. Je fouine un peu au marché public, j'achète des fruits, de l'eau. Ma préoccupation, c'est de trouver une piaule pour la nuit. Mon arrivée en Équateur n'étant prévue que dans un mois, j'ai tout mon temps. Je compte me reposer quelques jours avant de me diriger vers les grandes plantations de canne à sucre. Ensuite, je voudrais aller vers l'est, car je n'ai encore jamais vu la forêt amazonienne.

En marchant dans la ville, je tombe sur un gars, un jeune, avec qui j'engage la conversation. Je ne parle presque pas l'espagnol mais, lui, il baragouine un peu d'anglais... Il se met à me poser plein de questions sur le Canada : je lui parle du Québec français et ça semble l'intéresser. Moi, je l'interroge sur lui, qu'est-ce qu'il fait, où il reste.

Il finit par m'inviter chez lui, dans un bidonville en banlieue de Quito, à plus d'une heure de marche.

En arrivant, on fume un pot d'excellente qualité, on boit une espèce de tord-boyaux et on mange un plat de fèves quelconques. Je songe qu'il serait peut-être possible, par son entremise, de faire une passe d'émeraudes. La délinquance, ma vieille amie, s'empare en un instant de moi, et je ne songe plus qu'au pied de nez que je ferais aux douaniers si ça marchait. Je décide cependant d'attendre le lendemain pour en parler à mon hôte. On se couche. Je suis claqué.

Environ deux heures plus tard, des individus en uniforme font irruption. Le temps de le dire, j'ai des menottes dans le dos, et ils fouillent mon pack. Le gradé trouve mon passeport et commence à le feuilleter. Je sais que ce serait le moment de lui offrir de l'argent, mais je n'en ai presque plus sur moi. Il décide aussitôt de trouver louche l'abondance de tampons qu'il découvre dans mon passeport et me fait embarquer.

Pendant ce temps-là, le gars qui m'héberge se fait rentrer dedans à coups de pied, et je vois qu'ils le connaissent.

Je me retrouve à la prison, où ils m'enlèvent tout, sauf mes pantalons. J'ai beau crier ma citoyenneté (j'ai un peu honte de parler du Canada, mais pour une fois que ça pourrait me servir à quelque chose), rien à faire.

Je me retrouve dans une salle. C'est le bordel, là-dedans. Il y a des hamacs suspendus dans les coins, des matelas, des nattes *par terre. On dirait que tout le monde est installé là depuis des mois. Ça ne me rassure pas du tout.*

Je n'ai pas le temps de m'asseoir, il y en a un qui vient me voir : « Americano ? No, Canadiana. » *On vient à bout de se comprendre un peu, en fin de compte, dans un vague espéranto. Certains sont en détention préventive depuis trois mois. Ils n'ont pas eu de procès, pas droit à un téléphone ni à un avocat, et personne ne sait où ils sont.*

Là, je me mets à capoter sérieusement.

Le lendemain, je gueule et, à cause de mon passeport canadien, j'ai droit à un téléphone. J'appelle l'ambassadeur du Canada. Il a l'air bien surpris que du monde parle en français au Canada, mais en tout cas, ce n'est pas le temps de faire un discours nationaliste. Je lui explique mon cas en anglais. «Pas de problèmes, je te sors de là demain, dimanche au plus tard. » (On est vendredi.) *Je respire un peu.*

La plupart des gars sont corrects avec moi : « Canadense, touche pas à ça », *sauf deux ou trois dangereux : les rois de la place, des baveux, des agressifs. Mais je finis par me faire un chum, un gars qui est là depuis trois semaines, et qui pense bien être soupçonné de conspiration. Il m'explique un peu comment ça se passe ici.*

Au bout de trois jours, pas de nouvelles de l'ambassade. On m'autorise finalement à rappeler, et j'apprends que l'intervention de l'ambassadeur a été retardée, à cause D'UNE RÉCEPTION DONNÉE EN L'HONNEUR DU DÉPART DE LA SECRÉTAIRE ! «Man, ça fait trois jours que je suis là, je ne veux pas pourrir dans cette prison, j'ai faim, j'ai peur, il y a du monde dangereux ici, pas question qu'on m'oublie. » «Écoutez bien, me répond-on fort peu subtilement, si vous voulez en sortir un jour, ne nous tapez pas sur les nerfs. Nous avons dit peut-être mardi. » (On est lundi.)

En plus, les militaires commencent à parler d'accusation de trafic de cocaïne, d'espionnage, de trahison. C'est là que je me mets à parler aux autres, à les écouter sans arrêt. Je deviens poly-glotte en une semaine. Evasión, montaña, ciudad, passa-porte, frontera… Je gobe tout ce qui me semble utile comme vocabulaire. Parfois, je demande des nouvelles du gars avec qui je suis arrivé, personne ne l'a vu, et on me fait comprendre qu'il vaut mieux que je ne pose pas trop la question. Je réussis aussi à mendier un peu de pain, car on ne m'a pas rendu mon argent et, ici, tout s'achète.

Le huitième jour, ils viennent me chercher ; ils arrivent en gueulant, ils réveillent tout le monde. Je me demande après qui ils en ont, c'est après moi. Une couple de claques, des menaces, la carabine pointée dans la face, clic, pas chargée, haha. Veux-tu une cigarette ? Tiens, la voila, le bout brûlant sur la joue. Pen-dant quatre heures, ils me niaisent. Ils me cassent une dent d'en avant. Après, je suis deux jours sans les voir. Le dixième, je con-vaincs les autres de m'aider, ils gueulent « canadense » pendant un bon moment. Au bout du compte, je peux téléphoner mais, ce coup-là, c'est Ninon, ma chume, que j'appelle.

Deux jours plus tard, après un autre passage à tabac dont je sors avec de multiples contusions, un Occidental est jeté dans ma cellule. Je noue le contact.

— Tu parles français ? Speaking English ?

— As you wish.

— Je m'appelle Marc. Viens t'asseoir ici.

Il s'accroupit en jetant un coup d'œil au reste de l'assistance, peu rassurante.

Le gars est un Allemand de Munich en vacances avec son chum qui, lui, est citoyen français mais habite l'Allemagne. Ils n'ont pas fini de vérifier les identités.

— Comment ils t'ont arrêté ?

— Vers une heure, Dominic, qui était incapable de faire la sieste à l'hôtel, est allé faire un tour en ville. Les militaires sont venus m'arrêter pendant ce temps-là. Il est revenu juste à temps pour voir des militaires m'embarquer. Ils ne l'ont pas aperçu. Moi, j'ai eu le temps de le voir se cacher.

— Mais pourquoi ils t'ont arrêté ?

Karl secoue la tête.

— Aucune idée… Tu parles espagnol ?

— Un peu. Je fais actuellement un cours accéléré.

— Écoute, si tu m'aides à soudoyer un garde, je te fais sortir d'ici. Dominic va s'arranger pour me faire passer de l'argent, j'en suis certain.

— C't'un deal.

Je commence à bien connaître les lieux et les habitudes. Je lui désigne un homme. D'après moi, il se laisserait facilement acheter. En attendant le moment propice, je lui refile aussi quelques indications géographiques utiles et lui donne un rapide cours d'espagnol.

Puis les heures s'allongent. Il ne se passe rien. On s'occupe donc à bavarder.

Karl travaille dans un grand restaurant où on sert beaucoup de touristes. D'ailleurs, on l'a engagé parce qu'il parle l'anglais et le français en plus de l'allemand. Dominic est informaticien. Il n'a pas de problème de langue puisque, en définitive, tous les ordinateurs parlent la même.

Ils font un voyage tous les ans. Ils sont allés en Australie, aux États-Unis, en Turquie. Ils ont parcouru l'Europe.

Au moment où je me mets à parler de moi, à mon tour, Karl me dit :

— Si tu as quelque chose à cacher, ne me le dis pas. Avant de m'emmener ici, les soldats m'ont averti qu'il y avait un citoyen canadien dans cette cellule et que, si j'arrivais à te soutirer des informations concernant ta présence en Équateur, je serais libéré plus vite. Je ne veux rien savoir de compromettant sur toi. Je ne dirais rien de mon plein gré, bien sûr, mais on ne sait jamais ce que je pourrais avouer s'ils venaient à me torturer.

— *Man, on est dans la marde jusqu'au cou, dis-je.*

La porte du cachot s'ouvre à cet instant et un garde fait son entrée, pendant qu'un autre tient les prisonniers en joue.

M.

◆

Pamphlets équatoriens (suite)

par Patricia Chaillé

Histoire de sentir l'atmosphère et de tirer quelques informations susceptibles de m'être utiles, je décide d'aller rôder autour de la prison d'État de Quito, déguisée en touriste grâce à la contribution de la garde-robe de Ninon, qui m'a même prêté son précieux appareil-photo. Je ne suis pas à proprement parler discrète, mais plutôt anodine. Bien sûr, je reste à distance respectable de l'établissement pénitencier, pour ne pas trop attirer l'attention. Beaucoup de gens vont et viennent, ce qui facilite l'opération. Mais je dois me méfier : je suis peut-être épiée.

J'observe moi-même les hommes et les femmes qui vaquent à leurs occupations, le nez en l'air comme une visiteuse désœuvrée. Et c'est ainsi que je l'aperçois, appuyé contre un mur, faussement nonchalant, le regard dissimulé comme le mien derrière des verres fumés.

Bien qu'il soit vêtu de jeans de confection sud-américaine, je suis immédiatement persuadé que c'est un nordique. Il est trop grand, trop pâle, et il me semble nerveux. Ça me rassure bêtement. En plus, il observe exactement les mêmes choses qui ont attiré mon attention.

Alors je décide d'aller vers lui, ce que je fais avec précaution, en faisant mine de m'intéresser aux marchandises en vente dans les échoppes à ciel ouvert. Je suis à quelques pas de lui, et il ne m'a pas encore remarquée, quand un gamin l'accoste et lui demande des dollars. Je baisse les yeux et tripote mon appareil en le pointant dans une direction opposée. Merde, je vise la prison. Je baisse mon objectif. Du coin de l'œil, j'examine le manège de l'adulte et de l'enfant. L'Occidental s'est penché vers le petit et discute avec lui. Il lui tend un billet. C'est de l'argent européen.

J'attends que l'enfant l'ait quitté, puis je me tourne résolument vers lui en baissant mes lunettes sur mon nez. Mon regard croise le sien, qui se détourne brusquement vers ma droite. Je sens sur moi les yeux de la commerçante la plus proche, et je comprends qu'elle me prend pour une voleuse à la tire.

Alors je m'éloigne de sa marchandise et j'adresse à l'étranger un signe que je n'ai jamais adressé à un homme de ma vie : je lui fais un clin d'œil et un sourire aguichant. Son visage se ferme immédiatement, mais il reste interloqué. Je soupire presque de soulagement, avant que le fou rire ne s'empare de moi. Il sourit à son tour et je m'approche. Nous engageons la conversation en anglais et bavardons.

L'enfant revient vers lui en courant.

— *Si, si ! dos hombre francés !*

◆

Laissez-moi vous raconter comment cette planète est si ridiculement minuscule qu'il est possible d'y retrouver un deux de pique dans une dune de sable !

Imaginez-vous donc que très affairée à m'isoler de l'humanité (enfin, c'est relatif, puisque j'avais débarqué dans un genre de Club Med), j'étais allée me promener dans les ruelles de la ville la plus proche, quand je suis accostée par un beau grand gars (quoique maigre et magané), qui me lance, et je cite : « Oh ben tabarnac ! »

Me croyant soudain revenue au coin de Peel et de Sainte-Catherine, je me retourne d'un coup : qui ai-je devant moi ? Je vous le donne en mille et ne vous laisse pas davantage mijoter dans votre jus :

— Marc Auger ! que je dis, béate.

— Joanna Limoges ! Justement, je te cherchais ! qu'il me répond.

Évidemment, je suis comme vous. Je n'y comprends rien. Trois tours en l'air au bout de ses bras et un gros french plus tard, je lui pose la question qui me démange comme une attaque de morpions, et qui doit vous faire le même effet :

— Pour l'amour de Toutatis, qu'est-ce que tu fais là ? m'enquis-je.

— Paie-moi un verre, colporteuse de mon cœur, pis je te raconte tout ça, de rétorquer notre joyeux voyou.

Je ne me suis pas ruinée en colliers de coquillages juste pour le plaisir d'être kitsch. J'emmène donc Marc au bar de l'hôtel, malgré les protestations du personnel, que Marc séduit très vite grâce à son sympathique accent de Pointe-aux-Trembles, et je lui paye une bière ou douze. Et là, Marc me raconte son odyssée dans un film d'horreur. Une évasion, que c'est excitant !

Les autres touristes francophones qui se sont assemblés autour de nous pour l'écouter raconter l'aventure qui lui a permis de s'évader retiennent leur souffle, comme si Marc n'était pas là devant eux pour leur prouver que l'histoire finit bien.

En gros, c'est grâce à un petit gars qui vendait des cigarettes dans la cour de la prison qu'il a réussi à mettre la main sur une somme d'argent assez importante, transmise par l'ami de l'Allemand. Et le lendemain, ils ont pu mettre leur plan d'évasion à exécution.

— Le garde a accepté notre offre, raconte Marc. Deux heures après, fouille-moi comment, je me retrouvais dehors et, en fin d'après-midi, après avoir parlé à Ninon au téléphone, j'étais dans une petite maison du bidonville, face à face avec Patricia. Sais-tu qu'est-ce que j'ai fait ? J'ai braillé comme une Madeleine pendant vingt minutes, je pense. Patsy m'a bercé comme un enfant.

Vous vous imaginez bien que je ne veux pas être en reste, alors je m'empresse de faire de même… Mais non, mauvaises langues, ce n'est pas de l'abus, voyons, c'est de la compassion, je le jure ! De toute façon, ça ne dure pas longtemps, notre public réclamant à grands blasphèmes la fin de l'histoire.

— Mais le lendemain matin, poursuit Marc, après m'être épanché à son instinct maternel, je me suis garroché à l'ambassade, tu peux être sûre. Je suis rentré dans le bureau du boss sans demander la permission à personne, pis je lui ai dit de même, en lui rentrant mon index dans la poitrine : «Pis, la fête de la secrétaire, c'était-tu le fun ? Sais-tu qu'est-ce que j'ai mangé pendant onze jours, moi ? As-tu vu la dent d'en avant que j'ai perdue ? Pis des poux, as-tu déjà vu ça de proche ? Regarde, ça a l'air de ça ! L'aimais-tu, ta job, man ? Alors savoure-la bien parce que ça sera pas long que tu vas avoir ton 4% !»

Si bien qu'à force de gueuler, Marc s'est vu offrir un billet d'avion pour n'importe où, juste pour passer les frontières, parce qu'il ne se sentait franchement pas en sécurité ! Sainte-Patricia-des-causes-pas-si-perdues-que-ça lui a fortement conseillé de venir prendre des vacances au Venezuela, où il risquait fort de faire une très agréable rencontre. Sans compter que ce n'était pas loin – et pas impossible. Elle est restée là-bas pour essayer de savoir ce qui est arrivé au fameux Rodriguez.

Nos spectatrices ébahies par le récit de notre bel aventurier veulent toutes un bout de sa chemise en souvenir. Holà ! mesdames, j'ai préséance !

Il ajoute à part lui :

— Merci d'exister, les filles. Puis, s'adressant à moi : J'ai eu peur, Joanna, j'avais jamais eu peur de même.

C'est là que j'explose. Je le prends brutalement par le coude et je l'entraîne à l'écart.

— Mais qu'est-ce que tu foutais là, aussi, nom d'une pipe ? Tu ne vas pas essayer de me faire accroire, à moi, que tu passes ta vie à faire le tour du globe pour étudier les us et coutumes de la patate dans son habitat naturel ? Je sais bien que ton père t'a laissé de l'argent quand il est mort, mais moi aussi, être douanière, je te trouverais louche !

— Joanna, j'ai découvert ce que je cherchais.

— Et puis, fais-je, impatiente, en me croisant les bras, et puis, beau héros, après quoi tu courais ?

— Après le trouble, Joanna. Pour jouer avec lui, parce que je n'ai jamais eu quoi que ce soit à perdre à

part ma vie. Tu sais, le film *Midnight Express*? Ça dure
deux heures. Eh bien, multiplie-les par 11 jours et par
24 heures par jour, j'ai passé 264 heures DANS le film
Midnight Express. Je suis guéri.

— Alors tu rentres avec moi?

— Pas tout de suite, non.

— Où tu vas, maudite marde?

— Je ne le sais pas encore. Mais il va y avoir beaucoup de montagnes, ça, je te le garantis.

Tout ça pour dire qu'on a passé la nuit ensemble —
pauvre petit, fallait bien que je le réconforte (pis que
j'en profite, pour tout dire) — et il m'a emprunté de
l'argent pour faire arranger sa dent. Ça fait que, la prochaine fois que vous verrez Marc Auger, vous remar-
querez immédiatement la dent en or qu'il arbore
quand il ouvre la bouche, parce que, dans ce charmant pays, c'était encore moins cher qu'une prothèse
blanche! Sacré Marc!

Quand je débarque de l'avion, deux jours plus tard,
Ninon m'attend avec Mouche-à-feu, qui m'accueille
avec un couinement de joie, toute fière de ses amor-
tisseurs neufs, et mon prochain article est prêt à être
télécopié à l'hebdo. (Que d'efficacité. Non mais
avouez!) J'apprends la fin de l'histoire à Ninon, qui
soupire comme Éole.

On va prendre une bière sur Saint-Denis. Il fait
SOLEIL! (Il fait aussi un froid sud-arctique, mais c'est un
détail.) Elle me raconte comment les médias ont traité
l'affaire pendant mon absence et elle me montre les
coupures de journaux, qu'elle a collées dans un joli
album dont la couverture arbore une aquarelle (d'elle,
bien sûr) et auquel il reste quelques pages blanches
pour la fin de l'histoire, qui est à venir.

Quand je rentre à la maison, deux mille messages m'attendent sur le répondeur, y compris celui d'un beau gosse désirant m'entretenir de l'accouplement des pigistes à la saison morte. Je traite son appel en priorité, qu'est-ce que vous pensez : Dieu mon boss attendra bien jusqu'à demain.

◆

Pamphlets équatoriens (suite)

par Patricia Chaillé

Contrairement à ce qu'on pourrait croire, je n'ai pas eu de chance. Ici, tout fonctionne comme ça : par ouï-dire, par pot-de-vin.

Karl et moi avons chargé l'enfant dont il avait acheté la complicité de faire le guet près de la prison. Pour quelques dollars, il a passé plus de vingt heures à en surveiller les issues. Quant à nous, nous avons passé la nuit dans une chambre d'auberge près de la prison, après s'être avoués très vite que nous étions gais, et que nous avions aussi peur l'un que l'autre d'être violés !

Aussitôt que les gars sont sortis, nous avons organisé leur départ et celui de Karl.

Mais quand je reviens de l'aéroport, où j'ai reconduit Marc, je passe à mon hôtel où je me rends compte que ma chambre a été fouillée. Sur le miroir, des mots ont été tracés au crayon gras : « *Si quieres vivir, ve te de aqui*[1]. » Alors que je ramasse mes affaires, un

---

1. « Si tu veux vivre, va-t'en d'ici. »

sachet tombe par terre. Je fouille aussitôt ma valise et trouve environ une douzaine de sachets de cocaïne, dissimulés ici et là. Je m'en saisis et, en sortant, dépose discrètement la drogue dans les plantes en pot du hall d'entrée.

Trente mètres plus loin, je suis arrêtée par la police militaire qui m'ordonne poliment, mais fermement, de les suivre. J'obéis sans protester.

Au poste de police, on vérifie mon identité et on me pose des tas de questions auxquelles je réponds vaille que vaille, mon espagnol étant très limité. On me demande ce que j'ai visité, et je débite le contenu du guide touristique que j'ai feuilleté dans l'avion. Je louange Quito et ses attraits. On fouille minutieusement mes effets. On me vole mon argent, mais on me remet mon passeport. Quatre heures plus tard, je suis libre. Pour combien de temps ?

Je me précipite aussitôt à l'ambassade où l'on me répond : « Alors, vous savez ce qui vous reste à faire. » Je crois deviner que Marc leur a rendu une petite visite qu'ils n'ont guère appréciée. Je l'aime bien, ce grand calvaire !

Je quitte mon hôtel miteux pour la villa d'un coopérant français, plus sûre. Car maintenant, ce qui m'intéresse, c'est Rodriguez. J'ai son adresse ; je vais donc aller rendre visite à sa famille. C'est risqué, pour eux comme pour moi. C'est donc Anna-Maria qui fixera notre rendez-vous.

On se rencontre derrière une échoppe, au marché. La sœur de Rodriguez est d'une beauté à couper le souffle. D'ailleurs, ici, toutes les femmes sont d'une séduction à me faire perdre la tête. Mais, comme dirait Joanna, ce n'est, hélas ! pas le moment. Ses beaux grands yeux noirs laissent échapper des torrents de larmes. Elle m'informe de ce qu'elle sait. Elle tient dans ses mains l'unique photographie de son frère qu'elle possède.

Son frère n'est coupable d'aucun crime, sinon d'avoir des amis étudiants à l'étranger qui ont demandé le statut de réfugié.

Mais les autorités ont-elles besoin d'une raison?

Je promets à Elena de faire tout ce que je peux pour retrouver la trace de son frère et je la quitte rapidement. Dans l'allée centrale du marché, je crois reconnaître un homme. Je suis suivie.

Le soir même, le téléphone sonne pour moi. Qui peut savoir que je suis ici?

C'est le père de Rodriguez. Son fils a été retrouvé, truffé de balles de mitraillette. Son corps porte des traces de torture. La version officielle: tentative d'évasion. La mort semble remonter à plusieurs jours.

Je n'ai plus rien à faire ici. Je dois partir, et vite.

*I*l ne reviendra jamais. L'absence. L'absence pleine, qui accapare toute la place, tous les interstices, tous les entre-temps, tout le désœuvrement. J'aurais tant besoin de lui. Il est parti depuis si longtemps.

Ah ! je suis fatiguée d'être une Pénélope, d'attendre invariablement après quelque chose, après quelqu'un. Et si Marc n'existait pas ? Et si je l'avais inventé, comme je conçois parfois des personnages sur le papier ?

Mais non, ses lettres sont là pour prouver son existence. Marc, au moins, garde le contact avec son port d'attache, il n'oublie pas son amie-sœur qui établit un lien avec sa réalité à lui, avec ce qu'il est dans le miroir des autres. Te souviens-tu de nous ? Que vas-tu oublier là-bas, toujours ailleurs ? Que vas-tu chercher ?

ET SURTOUT, QUE TROUVES-TU ?

Moi, je ne trouve rien. Je fais le voyage à l'intérieur de moi-même, louvoyant entre mes propres continents, et je ne comprends pas. Je ne sais pas ce que je veux. Je saisis tous les détours que la vie m'offre, perdue comme dans un jeu vidéo, à la recherche d'indices me permettant d'accéder au dernier niveau, où je trouverai l'icône symbolisant ma quête.

Autour de moi, les gens courent après leurs chimères, leur idéal a au moins un visage. Mais, moi, je stagne, je ne sais pas où aller alors je reste là, immuable, offrant aux autres une image de pyramide que je sens creuse et vide en dedans. Et elles, mes chères amies, m'étourdissent dans un tourbillon d'idées, de passions, de fantaisie créatrice dont je m'abreuve avidement.

Cette bouteille à la mer que j'ai lancée, ce manuscrit que j'ai envoyé pour savoir si ma pensée pourrait être comprise, et répandue, ne m'envoie aucun signe. J'attends la lettre d'un éditeur pour qui mon roman n'est qu'un tas de papier de plus sur une pile énorme. Et, quand j'ouvre la boîte aux lettres et qu'elle n'est pas vide comme d'habitude, qu'il y a au moins une lettre de toi, j'en nourris ma patience.

Ce plaisir que je prends, quand je reçois une missive de toi, à me morfondre doucereusement en attendant le moment de l'ouvrir. Jusqu'à la limite de la patience. À en inventer le contenu sans me croire, à relire dans ma tête les missives précédentes que j'ai fini par apprendre par cœur. Mon ami, mon absent, si seulement tu revenais, un instant, me serrer dans tes bras et répondre en trois phrases à une question que je ne te poserais même pas. Tu me connais tellement. Privée de ton approbation, je suis là, immobile, et j'agence les mots comme une broderie… Mais un jour, je la lacérerai de coups d'aiguille, je brûlerai tout ce maudit papier, je me libérerai de ce fin treillis qui « fait tapisserie » (comme moi), prison tissée serré autour de ma tête, qu'elle empêche de rêver à sa guise, de voyager tout son saoul. Un jour, bientôt, je saurai si je dois continuer à chercher ou si on m'indique une voie à choisir.

Quand tu reviendras, je partirai. À ton retour, quand tu auras réintégré le boîtier où je te rangeais avant de te poster, sous forme de livre ou dans l'état où je t'ai envoyé, 8 1/2 par 11, cartonné de blues, je ferai autre chose.

N.

CHAPITRE 4

Où arrive le temps
de la débâcle

Procès-verbal au milieu d'une histoire
(ou quand l'hiver joue avec nos nerfs)

par Joanna Limoges

0. Présences (ah ! là, ça vient, ça va, vous verrez bien)

0.1. Ordre du jour

1.1. Compte rendu d'une de ces fins de saison où l'on s'ennuie du calme plat

    1.1.1. *One night stand*, par Joanna Limoges

    1.1.2. Patricia ! tchèque tes claques !

1.2. Joanna Limoges grimpe dans les rideaux

    1.2.1. Happy end pour Patricia

    1.2.2. Marc au Tibet (Pourquoi pas ! Tant qu'à y être !)

1.3. Joanna Limoges fait ce qu'elle peut

    1.3.1. Le chat Timothée, par Dany Lamont

1.4. Où-ce que le monde s'en va ? se demande Joanna Limoges

2.0. Compte rendu du Souper de révélation

2.1. Carnets de voyage, par Marc Auger

3.0. La chroniqueuse folle a encore frappé !

12 mars

J'ai reçu le premier refus d'un éditeur.

N.

Avez-vous déjà remarqué que ce sont les années où on a soigneusement évité la grippe pendant tout l'hiver, où on a consciencieusement pris ses vitamines tous les matins, où on a fait attention aux courants d'air, que la grippe nous frappe le plus sournoisement, en avril, quand on pense que tout est fini et que l'on s'en est sauvée?

En un mot, vous avez saisi que j'ai la gribbe. Je suis contagieuse à vingt mètres à la ronde. Tenez-vous loin, sinon vous deviendrez toutes des petites Joanna Limoges!

Traînant partout ma boîte de Kleenex et mon nez gercé, je répands mes microbes à travers la ville, et les gens s'écartent sur mon passage, comme si j'amenais la peste. Vous essaierez, vous, de soutenir des conversations confidentielles quand votre interlocuteur se tient à deux mètres de vous. Ce n'est pas mêlant, ma carrière de potineuse est en péril.

Ça m'est tombé dessus trois jours après avoir débarqué de l'avion et être tombée de mon lit, où j'avais passé les vingt-six premières heures.

Je n'ai jamais fait un trip comme ça et je ne sais pas si je pourrais supporter de le faire une autre fois, mais l'expérimentation en valait mille fois la peine.

Le cobaye s'appelle Claude et il est photographe. C'est un être fort charmant. Je l'ai rencontré, il y a quelques mois, dans un party. Quand j'ai entendu sa voix sur le répondeur, je me suis dit qu'il était mûr comme une belle grappe de raisin et je l'ai aussitôt invité. Bon. Début banal. C'est la suite qui est inusitée…

Six heures : on s'installe au salon pour fumer une poffe. On se met vite à se caresser et à s'embrasser. Ça promet. Il me touche partout, me suce l'auriculaire, me lèche le dedans des coudes, me chatouille le nez, il est d'une douceur inimaginable, bref je me meurs de désir à petit petit feu.

Dix heures : je suggère, comme ça, sans arrière-pensées (vous ne me croyez pas, j'espère !) que nous pourrions peut-être passer à la chambre, où nous serions bien mieux pour converser (jusque-là, on a dû échanger à peu près dix-huit mots).

Minuit : il obéit, retire ses mains de sous ma chemise (nous sommes encore tout habillés ! ! !) et me suis pendant que je tâche de marcher sur mes jambes en coton.

Huit heures du matin : nous nous endormons, épuisés, dans les bras l'un de l'autre, et, vous me croirez si vous voulez (mais, de toute façon, comment pourrais-je inventer une histoire pareille), à ce moment-là, j'ai encore mes bobettes ! Oui, mesdames ! Bobettes dont je ne vous décrirai pas l'état…

Trois heures de l'après-midi : bobettes que j'ai encore quand nous gueuletonnons, affamés.

Huit heures : bobettes que je conserverai d'ailleurs jusqu'à ce qu'il parte, bien que nous nous soyons recouchés et que nous ayons poursuivi nos doux (si doux !) ébats.

Nul besoin de dire que la belle Joanna n'y comprenait rien et qu'elle tenait beaucoup à comprendre. J'en étais, dans mon introspection, à me demander : coudon, six boires, il me niaise-tu ?

Quand il est parti, j'ai osé lui demander pourquoi donc tant de respect pour une fille qui n'en demandait certes pas tant! Il a embrassé mes lèvres enflées et sèches comme du papier fripé, m'a remerciée de ne pas l'avoir crissé à la porte au milieu de la nuit, m'a assuré qu'il avait passé vingt-six heures fantastiques et m'a avoué qu'il est séropositif. Je l'ai regardé partir comme un fantôme, j'ai refermé la porte et je suis allée me masturber trois fois de suite à sa santé.

Il a allumé un feu de forêt dans une partie de mon anatomie reconnue comme étant dangereusement inflammable. Je dirai même plus, comme les Américaines, qui ne s'embarrassent pas de périphrases: *I need a man*, pis ça urge!

Mais ce n'est pas tout, ça: quand j'ai fini par m'en remettre, j'ai appelé Ninon pour savoir si elle n'avait pas eu de nouvelles de Patricia, notre héroïne à toutes, qui continuait sa mission avec un zèle d'agente secrète, assez loin de nous pour qu'on soit inquiètes. Ninon ne savait rien, sinon qu'on avait retiré un peu d'argent de son compte de banque, où elle lui avait déposé quelques centaines de dollars.

Quant à moi, aux grands maux les grands moyens. Permettez-moi de disparaître de la circulation. J'ai décidé d'assommer les microbes à coups de recettes de grand-mère: le grog au gin, les aspirines, le sirop Lambert, la mouche de moutarde, les bas de laine, la jaquette de flanellette, la doudou de plume, les thermostats à deux mille degrés, tout ça simultanément; quand j'en ressortirai, dans deux jours, je serai morte ou guérie. Bodde duit.

◆

Pamphlets équatoriens (suite)

par Patricia Chaillé

Ce jour-là, je suis à l'aéroport de Quito à la première heure. Aucun vol n'est prévu pour Montréal, mais je peux prendre place à bord d'un avion qui va à New York, en fin d'après-midi.

Soudain, je sursaute. Elena est devant moi. Elle me saute au cou et me remercie avec effusion.

Son frère est vivant. Elle m'informe que son frère a été laissé pour mort, à l'orée d'un bois, en dehors de la ville. Il s'en sortira, probablement amoché mais vivant.

Je ne comprends pas. Pourquoi son père m'a-t-il menti la veille ?

Elle me regarde d'un drôle d'air. A-t-elle mal saisi mon espagnol de fortune, à moitié oublié depuis l'époque de mon secondaire ? Son père est mort il y a trois ans !

Je crois comprendre. On a camouflé ça en évasion et on m'en a avertie pour que je me sente en danger et que je foute le camp, mais on a laissé Rodriguez vivant, au cas où je déciderais de m'acharner sur le cas. J'ai dû faire peur à quelqu'un d'important.

Enfin, pour l'instant, je m'en fous. Maintenant, il s'agit de le faire sortir d'Équateur. Elena est décidée. Elle aussi, elle veut partir.

Je ne prendrai pas l'avion aujourd'hui. Je compte rendre visite à un vieux copain, à l'ambassade.

En fait, c'est vrai que j'ai une âme de missionnaire…

◆

15 mars

Elle est là devant moi, et je suis persuadée qu'elle sait le pouvoir qu'elle a sur la jeune auteure à son premier livre. Et même si elle m'explique bien froidement « ce qui cloche dans mon œuvre », je sais qu'elle est consciente, à ce titre, qu'elle me déchire le cœur. Il y a dix minutes que nous conversons et je les hais déjà, elle et son pouvoir.

Elle me dit qu'il y a trop de mots. Il n'y a jamais eu trop de couleurs dans mes photos, trop de métal coulé dans mes vitraux, trop de tissu dans les vêtements que je cousais. Mais dans mon livre, il y a trop de mots. Ah. Elle me dit qu'elle a aimé mais. Elle a retenu mon livre mais. Elle le pense publiable mais. Et elle me jette au visage des grands pans de ma personnalité comme des immondices. Et elle me présente un manuscrit raturé, annoté, amputé par elle et par sa correctrice. Et elle me renvoie chez moi, avec l'ordre de changer ma création.

Ce n'est pas une obligation : c'est une proposition de « collaboration ». Je peux jouer son jeu et je serai acceptée. Je peux rejeter ses commentaires et aller me faire voir ailleurs avec mon roman. Mais sur quatre envois, j'ai déjà reçu, en plus de son invitation, deux refus.

Je lis les annotations et les coupures, et j'en endosse certaines, en me mettant dans sa peau de marchande. J'avoue quelques longueurs, quelques gros plans sur mon nombril. Pardon : sur celui de l'œuvre.

Non, c'est raté, je suis absolument incapable de faire la part des choses, de réagir comme une adulte, de voir en mon livre un objet détaché de moi, de réfléchir sans émotivité. Mes mots, crisse ! Mes mots à moi, mes idées à moi, mes pensées, moi ! Ce n'est pas un roman, j'ai triché, j'ai raconté moi, d'accord ! Mais j'ai raconté une histoire, aussi, un récit plein d'action, de couleur, de vie ! J'ai essayé de rejoindre quelqu'un, j'ai appelé !

Justement, ma vieille. Dans la vie, tu ne rejoins personne. Tu navigues au milieu du vide, femme à la mer, tu n'approches jamais des bords, tu restes éloignée de la vie comme d'un rebord de lavabo bien lisse. Tu ne touches rien, et les événements se tiennent soigneusement à l'écart.

Je ne suis pas Joanna la fofolle, moi, je n'ai aucune facilité à vivre, je n'éblouis personne. Je ne suis pas Patricia la forte, ou Dany au pays des merveilles, ou Marc l'aventurier, même si je les ai racontés. Je ne suis pas sûre de moi. Je ne sais pas comment bouger, comment me mouvoir dans ce monde que j'aimerais tant pénétrer ! Je ne sais pas quoi penser des choses, à quoi m'intéresser, où aller. Alors, je raconte ceux qui savent, ceux qui me montrent. Ceux qui, en tout cas, sont capables de dealer avec cette fin de siècle.

Mes personnages… Ah ! Ils sont beaux, mes personnages ! En tout cas, ils seront beaux après le massacre que je m'apprête à leur infliger. Je devrai les censurer, rien de moins ! Leur couper la parole dans leur vie même ! Mais si Dany est plus ceci et Marc moins cela, ce ne seront plus des personnages. Ce ne seront plus mes amis, ils ne seront plus moi ! Encore moi ! Parlons-en ! L'autre, là, celle qui s'écoute penser, elle est verbeuse ! Mets-en qu'elle est verbeuse, elle ne cesse de piailler dans ma tête depuis toujours, de sa voix pleine de doutes ! Toujours à me demander d'être je ne sais trop quoi… tabarnac !

N.

◆

Ça va mieux, merci. J'ai perdu cinq livres, ce qui ne fait jamais de tort, et je me sens prête à reprendre du collier. Je commence donc par appeler Ninon. Elle a eu des nouvelles de Patricia. Elle est cachée dans une congrégation religieuse! Sacrée Patricia! Je l'imagine en train de se rincer l'œil en chantant vêpres! Aura-t-elle besoin de rendre visite à Info-Secte en revenant?

Elle est hébergée là pour les prochains jours, à titre de victime de violence conjugale (elle, une lesbienne radicale! si les bonnes sœurs savaient la louve qu'elles ont accueillie dans la bergerie!) et Ninon est en train de remuer ciel et terre au ministère de l'Immigration pour les protégés de notre redresseur de torts. La voie devrait être bientôt libre.

Quant à moi, j'ai vendu un article au magazine de publireportages au titre pompeux de «mensuel culturel» le plus nouille de la terre (faut bien payer le loyer) et j'ai fait des yeux doux à deux ou trois réalisateurs qui se laisseront peut-être convaincre que je suis une rédactrice géniale. Et, si vous me demandez comment ça va, je vous répondrai que JE SUIS ÉCŒURÉE DE PASSER MA VIE À ME CHERCHER UNE JOB!

◆

(Reçue le 30 mars)

20 mars

Très chère amie,
Tout s'est fait de manière très précipitée. J'aurais voulu t'avertir, tu aurais pu descendre à New York où j'étais en transit pour vingt-quatre heures mais à quarante-huit heures d'avis...

Quoi qu'il en soit, me voilà quelque part au Tibet, dans une lamaserie, sur le toit du monde. J'ai posté toutes mes notes de

recherche à mon directeur de mémoire, je les récupérerai en rentrant. J'ai télégraphié à mon frère aîné, celui qui se prend pour
mon père depuis la mort de nos vieux, pour qu'il me fasse parve-
nir de l'argent, et je me suis réfugié ici.

Le bouddhisme est une philosophie très attrayante. En fait,
c'est la religion qui offre le meilleur rendement qualité-prix,
puisqu'elle accorde plusieurs vies au croyant en échange de
méditation ! Mais je suis pas en train de me convertir. Méchant
bon stock, prendre une sniffe d'Himalaya le matin en te levant,
je te le garantis ! Et puis le crâne rasé me va pas trop mal…

Le plus drôle, c'est qu'il y a un bonhomme, ici, d'à peu près
quarante ans, qui ne parle jamais. J'étais attiré par lui, je ne
savais pas pourquoi mais il me semblait familier. Tout le monde
me disait que je l'avais rencontré dans une autre vie… C'est un
gars d'Abitibi ! Même en jaquette, même le crâne rasé, même au
bout du monde, on est capable de reconnaître un Québécois,
c'est-tu assez fou ! Il est monté dans les années soixante-dix, après
son cours classique, et il est jamais retourné en Occident. Il a
atteint son nirvana, le gars !

Il faut que je te laisse, une expédition part pour un village,
d'où ma lettre te sera acheminée.

À bientôt

Marc

◆

31 mars

En fait, c'est un exercice assez facile. C'est pareil dans la vie :
on ne peut montrer toujours son vrai visage. Il faut truquer, pour
survivre dans cette jungle d'opinions divergentes. Il faut qu'on
puisse être identifiée à quelque chose. Qu'on puisse nous accoler
une étiquette. Sans ça, ça insécurise les gens, et ils ne savent pas

trop quoi faire avec vous. C'est toujours ça qui a été mon principal problème. Surtout avec les gars.

Les modifications de vocables sont les plus simples. Bien sûr,
certains mots m'étaient très précieux, aux endroits précis où je les
avais mis. Mais, la plupart du temps, la correctrice apporte une
précision par sa variante.

Ce qui est plus difficile à avaler, ce sont les larges coupures
infligées au livre dans un souci évident d'économie. D'économie
de texte, je veux dire. Il me semblait avoir écrit quelque chose
dans une forme qui se tenait en elle-même. Je croyais avoir mis
juste la bonne dose de liant. Je ne pensais pas que de larges pas-
sages pourraient paraître superflus. Ou mauvais. Je croyais y
avoir mis beaucoup de soin.

Je ne couperai pas tout. Ça non. Il ne faut quand même pas
prendre toutes ces biffures comme étant essentielles. Je dois me
réserver une marge de manœuvre. Surtout, ne pas tout accorder
d'un coup !

Je vais essayer d'être honnête, sincèrement. Je vais essayer
d'accepter les corrections comme des apports au texte. Mais, certaines d'entre elles, celles qui, je crois, nuisent à l'œuvre, je vais les
contester. Je vais essayer d'être honnête. J'arrête d'écrire, le facteur
vient de passer.

                                                            N.

                               ◆

   C'est alors que je remonte Saint-Denis, reluquant de
chaque côté de la rue les beaux gars, au risque d'en écraser un, que je vois Dany sortir de Dix Versions. Je
klaxonne à réveiller un robineux. Tous les beaux gars de
la rue tournent la tête, mais il est trop tard, je n'en ai cure.
Je lui déverrouille la portière. On s'embrasse, pendant
que ça se révolte derrière moi jusqu'à La Gauchetière. Je

démarre en trombe et sème mes détracteurs avant d'arriver à Mont-Royal. Elle me montre sans grand enthousiasme le rideau de douche qu'elle vient d'acheter.

— Pis, jeune poulette, quoi de neuf?

— Bof…

Si j'ai bien exprimé jusqu'ici le caractère de ma jeune copine, vous saisissez comme moi qu'il y a quelque chose d'anormal.

Feu rouge. Ils se téléphonent pour s'avertir les uns les autres que j'arrive, j'en suis sûre. Je freine, je glisse, je dérape (mes freins sont finis) et je m'arrête en souriant aux passantes comme si je ne venais pas de mettre leur vie en danger. Je conduis comme un pied. Je le sais. Je m'en fous.

— Qu'est-ce qu'il y a, fillette?

Un affreux doute m'assaille.

— Ça va toujours bien avec Sylvain?

— Oui, oui…

Je respire. Avec le «vécu de couple» que j'ai accumulé au cours des années, j'ai besoin, pour me convaincre que l'amour est possible, de voir des amoureux autour de moi.

— Enfin, je pense… C'est moi qui suis plus sûre de rien.

Je freine brusquement. Vous vous demandiez s'il y avait quelque chose qui soit capable de me scandaliser? Ben voilà, vous avez mis le doigt dessus: voir mes idoles de couples tomber.

— C'est quoi ton osti de problème? dis-je délicatement en me garant en face du Boudoir (un trou décoré en contre-plaqué où on diffuse du rock absolument génial). Viens-t'en, on s'en va prendre une bière.

— J'ai pas le goût.

— Je m'en sacre. Je pense que tu as besoin de te faire parler dans le casque.

Marie, l'éternelle barmaid, me sert une Black (le mix le plus compliqué qu'elle ait jamais concocté se résume à une vodka-jus d'orange) et Pitchounette prend une Bleue. Dany regarde sa bière comme si elle allait se noyer dedans. Elle sait à qui elle a affaire, elle est bien consciente qu'elle ne s'en tirera pas avant de m'avoir tout dit. Dany, ma petite pitoune, je ne veux pas te faire du mal, il faut juste que je te fasse cracher le méchant (j'aurais dû faire une psychologue).

— Raconte-moi une histoire, Dany, dis-je pour l'amadouer.

Elle me lance un regard de reconnaissance.

— Je vais te dire un conte animalier. Ça s'intitule : Le chat Timothée.

Il était une fois un chat qui traversait l'histoire comme dans tous les romans québécois.

Il s'appelait Timothée. C'était un gros matou bummeux, gourmand et, avouons-le, vaguement macho. Quand il ne prenait pas la poudre d'escampette par l'escalier de secours pour courir les belles, il aimait ne rien faire d'autre que se réchauffer les rayures grises sur l'appui de la fenêtre.

Il était issu d'une noble lignée : il avait pour ancêtre le Chat botté. Dans le quartier, il n'avait jamais été le chef de gang, mais quand il y avait des guerres, on lui confiait souvent le rôle de médiateur.

Bref, il prenait comme son aïeul la vie du bon côté, tout en ne dédaignant pas l'aventure à l'occasion.

Le garçon chez qui il logeait, un dénommé Ghyslain, était un garçon de tables aux habitudes relativement stables. Levé très tard, il partait travailler vers quatre heures et ne revenait qu'aux petites heures du matin. Généralement, alors, il mangeait devant Musique Plus et se couchait une fois le soleil levé. Timothée avait donc adopté cet horaire, ma foi fort convenable. Il demandait la porte quand son hôte s'apprêtait à partir et revenait rôder aux alentours de l'escalier de secours vers cinq heures. Quand il voyait la lumière s'allumer dans la cuisine, il grimpait d'un bond les quatre étages et grattait à la porte. C'était devenu tellement habituel que, souvent, Ghyslain ouvrait celle-ci avant qu'il ne soit en haut. Là, il bouffait et allait ronronner dans le cou de son chum à deux pattes. Toutes les sept nuits (le vendredi), il y avait des invités qui venaient envahir le salon double et Timothée couchait dehors. Il détestait le bruit : dans une autre vie, il était mort dans un moteur de camion et, depuis, avait en horreur les appareils qui génèrent des décibels.

La fenêtre préférée de Timothée donnait sur la cour intérieure, où le logement d'en face ne se trouvait pas à plus de quinze pieds. Elle était orientée vers le sud et bénéficiait la plupart du temps d'une bonne petite brise.

Un jour, alors que Ghyslain passait le balai, un oiseau vint se poser sur l'appui de la fenêtre d'en face. Il entreprit de se lisser soigneusement les plumes. Bien sûr, le bougre faisait semblant de ne pas voir Timothée, mais sire le chat savait bien que les oiseaux adorent narguer les rampants. Timothée détestait les oiseaux depuis qu'un jour l'un d'eux lui avait chié sur la moustache.

Lentement, très lentement, comme savent le faire les chats, il commença à se redresser sur ses pattes. Ghyslain passa près de lui et caressa distraitement sa croupe, mais Timothée ne s'en préoccupa pas. Il se dressa bien comme il faut sur son séant et, après avoir calculé son élan, prit son envol.

Ghyslain cria «Non!»; Timothée effectua un bond prodigieux et parvint à agripper le bas de la fenêtre avec ses pattes de devant; l'oiseau s'envola au même moment; Ghyslain, horrifié, cria pour alerter le voisin d'en face, mais personne ne vint ouvrir.

Timothée tomba.

Il y eut un bruit de couvercle de métal, puis un son de chute dans les poubelles, suivi d'un silence inquiétant. Au vibrant «Timothée!» que Ghyslain lança, un «Maaaoooww!» pathétique répondit, qui ébranla les murs de l'immeuble. Ghyslain sortit de chez lui et dévala les escaliers. Au premier, la concierge ouvrit sa porte.

— Qu'est-ce qui se passe?

— Timothée est tombé de la fenêtre! cria Ghyslain.

Dans la cour, Ghyslain enjamba la montagne de déchets et entreprit de retrouver son chat qui avait glissé entre les sacs de plastique. Il prit délicatement dans ses bras son compagnon qui miaulait tout bas. Il palpa doucement son ami en rentrant dans la maison. Dans le hall, des gens s'attroupaient. La concierge était tout énervée. C'est à ce moment-là que les ambulanciers firent irruption dans l'immeuble.

— Où est le blessé?

— Là, répondit spontanément Ghyslain, un peu abasourdi.

Les ambulanciers regardèrent le chat sans comprendre. Les yeux de la concierge allèrent du chat à Ghyslain au chat à Ghyslain. Elle balbutia: «Mais mais mais.»

Les ambulanciers la trouvèrent bien bonne. Ils proposèrent à Ghyslain de le conduire chez le vétérinaire avec la victime ; c'était sur leur chemin.

En voyant le véhicule prioritaire s'arrêter devant sa clinique, celui-ci crut un des vieux rêves de la profession exaucé.

Timothée, qui n'avait rien d'autre que de bonnes foulures et des coussinets écrasés, passa une semaine couché dans la garde-robe de la chambre, où Ghyslain avait installé la litière et le plat de sire le chat. Au bout de ce délai, il se remit à marcher peu à peu, mais devint le premier chat victime de vertige que je connaisse.

Voilà la petite histoire qui m'a été rapportée de la bouche de Ghyslain lui-même, qui m'a donné un lift pour venir en ville. En plus, j'ai rencontré Timothée sur la banquette arrière, alors je certifie l'authenticité de l'histoire.

Longues vies à Timothée !

◆

— Ton minou volant, ai-je énoncé comme un Confucius en chocolat, quand il a été tout amoché, il y a eu quelqu'un pour le ramasser. Il a eu de la chance. Il aurait pu crever dans le fond de la ruelle sans que personne s'en préoccupe jamais.

Je lui ai pris la main.

— Fais confiance à Sylvain. Il t'aime. Puis tu le sais. Le pire que tu pourrais faire, actuellement, serait de le repousser au lieu de lui tendre la main.

— Depuis qu'on est ensemble qu'il m'aide à vivre et, moi, qu'est-ce que je lui apporte ?

Je l'aurais bien traitée de maudite niaiseuse, mais c'est là qu'elle s'est mise à pleurer comme un veau. Je l'ai bercée au son d'une chanson de Rush, que j'adore, on ne peut plus de circonstance : quand on a une blessure rock and roll, on n'étend pas de la ballade dessus.

— Dans la vie, ai-je chuchoté, il y a des gens qui arrivent à être autonomes. À quel prix, ça, c'est une autre histoire. Mais il y en a d'autres qui n'arrivent à rien à moins d'être deux. Je pense que tu es comme ça.

— Et toi, gentille Joanna, tu te considères dans quelle catégorie ?

— Dans celle qui toffe la ronne entre les deux.

— Emmène-moi chez Ninon, a-t-elle dit.

J'ai téléphoné. Ninon n'était pas là. Alors, vous comprenez, j'ai fait ce que j'ai pu, mais je n'ai pas son talent pour consoler, moi.

◆

15 avril

Même lorsque je me déchirais les tempes à chercher les mots, jamais encore je n'avais haï mon livre. Je regrette pour la première fois de l'avoir entamé, d'avoir mis au monde cette chose qui s'éloigne toujours de plus en plus de ce que j'aurais voulu qu'elle soit. Le cordon est coupé, mon livre existe sans moi, il est devenu un objet, il ne m'appartient plus. Voilà, j'ai fait ce que j'ai pu. Vole de tes propres ailes, maintenant ! Mais tâche tout de même de porter le message que je t'ai laissé.

J'ai cessé d'être avide de présence. Enfin. J'ai cessé de m'ennuyer, d'avoir besoin des autres. J'ai réinstallé ma vie dans ses habitudes, où il y a assez d'espace entre les meubles pour laisser venir les idées et danser les pas. Plus besoin d'occuper le moindre interstice de silence, de désœuvrement. Le temps se laisse caresser comme un gros chat.

Ma présence a cessé de me peser. Je peux maintenant me laisser exister sans m'achaler – sans que ça m'achale.

Les mots se déroulent enfin sur le papier, faciles, spontanés, et la réception immédiate à leur floraison n'est plus requise. Je suis seule et bien. Sûre de moi – au moins quand je ne suis devant personne. J'avais perdu jusqu'à cette capacité d'être face à moi-même. À long terme, je veux dire. Pas cinq minutes entre deux colocataires, ou une heure avant que l'amant ne se manifeste. Non, vraiment seule, seule des jours entiers, avec des grands pans de moments libres.

Alors viennent en flots les mots, les couleurs, les images. Viennent les après-midi dans les cafés, les sorties spontanées, les promenades dans la ville. Viennent les rencontres dans ma tête.

N.

◆

Tout ça pour dire, mesdames, qu'on a fini par passer à travers encore une fois pis qu'on est rendu au PRINTEMPS. Quand il fait soleil, on boit notre bière avec notre manteau sur le dos rue Saint-Denis et, quand il pleut, on prend ça en riant en se disant que ça fait fondre ce qui reste de neige. C'est la joie. Les bars sont pleins, les nouvelles modes sont folles, et tout le monde cruise. La joie, je vous dis.

Et puis j'ai obtenu un contrat complètement fou pour une maison d'édition – une histoire de livre avec des dessins – et vous devriez voir les illustrateurs, vous autres! – et je vais passer le printemps à faire de l'art.

Un monde où je n'ai pas fait une incursion depuis des lustres, les filles. Je veux dire du vrai art, là – mineur, vous allez me rétorquer, ce à quoi je vous répondrai qu'il n'y a pas d'art mineur, il n'y a que des majeurs dressés devant le nez de ceux qui l'affirment, et paf! –, je veux dire de la fiction. Je vais inventer des histoires. Remarquez qu'hebdomadairement je continuerai de broder autour de la vérité, histoire de la rendre intéressante, dans l'hebdo culturel le plus branché de la terre. Et si je suis bien raisonnable et que j'économise un peu (ce qui est beaucoup me demander), je pourrai peut-être me payer le Festival de Jazz de Montreux, dont je rêve depuis si longtemps. Mais comme je me connais, je me retrouverai fort probablement à celui de Detroit.

Bref, c'est vendredi, je m'en vais prendre un verre chez Ninon, qui nous a invitées. Paraît qu'il y a du neuf.

Ninon a fait une caricature de votre humble serviteure, avec ses immenses lunettes orange, son nez en trompette, ses babines invitantes et, en prime, un bic et un bloc-notes où sont inscrits les mots : « Tout pourra être retenu contre vous. » Tout à fait moi, quoi ! Sur le bristol de Dany apparaissait une jolie poupée de lit en papier plié, et la carte que Patricia a reçue était en forme de tract, avec des lettres en papier journal collées. Marc, pour sa part, a reçu... une carte postale ! Tiens toi !

Ninon Lafontaine m'accueille, énigmatique comme une grande prêtresse. Elle arbore une robe accroche-cœur qui la moule à faire bander un muffin. Dany est déjà là quand j'arrive. Pour dire la vérité, ça a pas l'air de filer fort fort. Elle a le caquet bas, Ti-cul Dany, même si elle essaie de faire bonne figure.

Patricia fait son entrée quelques minutes plus tard, bombant le torse comme l'agent 007. C'est la première fois que je la vois depuis son retour. Elle n'est pas peu fière de son coup équatorien, la mère Chaillé. Et, nous, on est à la veille de porter des macarons avec sa photo, tellement ça nous remplit d'orgueil de la connaître.

En plus, Patricia arrive avec une surprise. La coalition féministe dont elle est vice-présidente a reçu par télécopieur une lettre de Marc, adressée à son intention mais destinée à Ninon. Elle m'a juré sur la tête de Simonne Monet Chartrand qu'elle ne l'avait pas lue. Le pire, c'est que ce doit être vrai. D'ailleurs, elle l'a remise à Ninon qui l'a empochée sans même la lire.

Je suis intriguée, c'est pas disable.

Ninon distribue des quartiers de citron, remet à chacune une salière, nous tend des verres grands comme des abreuvoirs à perruches et pose avec bruit un quarante-onces de tequila brune au centre de la table de salon. Sans un mot, elle se lèche le dos de la main, y saupoudre du sel, le rattrape d'un coup de langue, mord dans le citron et vide son verre de poupée. On fait comme elle, quand même on est déjà sorties. Puis, lançant son verre derrière elle, qui se casse sur le mur, à la russe (ce qui fait pas mal de mélanges ethniques pour un même toast) – oui, oui! Ninon Lafontaine a fait ça, je vous le dis, j'étais là! –, elle déclare :

– Mon livre va être publié.

– Yahoo! c'est au boutte! Remplissons nos compte-gouttes... Ninon, tu n'aurais pas des verres dignes de ce nom?

Ninon, sans un mot, retire les fleurs en soie d'un grand vase et me le tend. De part et d'autre de la table, on se fout de ma gueule. Pfft! mais je ne suis pas rancunière.

— Tu te souviens de ma promesse? Watch out le lancement!

Remplissons nos verres!

◆

25 avril

Alors, ça y est? Super! J'arrive!

Marc

◆

Attachez vos walkman avec de la broche, nous sommes actuellement au lancement du livre de Ninon Lafontaine, dans une galerie d'art de la rue Saint-Laurent.

Je l'avoue : j'ai de la misère avec l'art moderne. Je comprends, la démarche et tout et tout, mais j'ai un sens de l'esthétique plutôt rétrograde, j'aime les couleurs qui matchent, les affaires propres, les œuvres qu'il ne faut pas chercher à comprendre ou qu'on comprend sans lire la thèse qui va avec — même si, en soi, la thèse est peut-être très intéressante. Bref, ce coup-là, pas de problèmes, j'ai choisi les artistes.

J'avais vu, un jour, dans un restaurant-exposant, une grande toile abstraite rouge, verte, noire et blanche, et les larges traits bâclés avaient remué en moi

d'étranges émotions (c'est ça, le but de l'art, non ?).
J'avais pris au hasard la carte du peintre.

Pour dire la vérité (et je dis toujours la vérité,
même si, des fois, je l'arrange un peu), quand je jouis,
sous mes paupières (car je jouis les yeux fermés,
voilà, vous savez tout) apparaissent de grandes traî-
nées de couleur. Renseignements pris auprès de mes
chumesses, il paraît que je ne suis pas la seule. J'avais
donc cavalièrement rebaptisé la toile « L'orgasme
vert ».

Cette peinture m'a tant obsédée que, pour le lancement, j'ai tout naturellement demandé la collaboration de cet artiste, qui ne s'est pas fait prier. Il a par
ailleurs trouvé mon interprétation de sa toile très
intéressante. Il m'a invitée à aller voir ses nouvelles
créations à son atelier, la semaine prochaine…

J'ai également appelé une chapelière pour qu'elle
expose elle aussi ses œuvres. J'ai en outre demandé à
un de mes ex, un cracheur de feu – la nuit, il crache
également ses poumons, ce qui est très désagréable
pour une jeune femme au sommeil léger ; c'est d'ailleurs une des raisons pour lesquelles ça n'avait pas
marché, j'étais rendue avec des cernes jusqu'au bas
des joues, je n'avais pas dormi depuis deux semaines,
j'avais les yeux comme des trous de suce, je n'en pouvais plus (O.K., O.K., j'exagère, mais c'est pour donner
un aperçu du feeling général). Bref, c'est du plus bel
effet d'accueillir les gens avec un gars qui jongle avec
des torches en faisant du trapèze au-dessus des têtes
et qui en mange des fois (pas des têtes : des torches).

J'ai aussi fait suspendre un morceau de tulle dans
un coin (non ce n'est pas pour capturer les beaux
gars, je le jure), rempli de confettis, de bonbons, de

serpentins... et de livres. Attention quand on va trôler!

Pour la musique, j'ai demandé à l'ex de Ninon, le musicien que je lui avais présenté, de venir avec son quartette nous servir de bande sonore (même si la masturbation rend sourd, la comprenez-vous?). Sa carrière ne va pas mal, à celui-là, surtout qu'il a plein de groupies depuis que j'ai dit dans un article qu'il baise bien — mais connaissez-vous un musicien qui baise mal, vous? Alors vous êtes mal tombées!

Il joue du jazz-fusion-contemporaino-punk, bref, c'est spécial. Mais comme dit le musicien enrhumé à sa compagne: «D'es-si-belle!» Excusez-la.

J'ai aussi retracé plein d'amis, de connaissances, de collègues, d'ex, évidemment, même si, je le jure, ils n'auraient pas suffi à remplir la salle, espèces de mauvaises langues — pas eux, vous! Pfft! Enfin tout un paquet de monde qui ne pouvait pas me faire le coup de ne pas venir.

Patricia a fait pareil, si bien qu'il y a des filles ici, mesdames! (Je suis hétéro, vous vous en doutiez, mais, avoir Isabelle Adjani dans mon lit, est-ce que je dormirais? C'est à voir mais, de toute façon, c'est une question théorique: par quel miracle Isabelle Adjani pourrait-elle se retrouver dans mon lit?) Et plein de néo-Québécoises visibles, aussi, ce qui fait plaisir à certaines et donne bonne conscience aux autres.

Dany n'a pas amené beaucoup de gens, tout le monde sait que sortir un Lavallois de sa banlieue après six heures, ça le dépayse. Elle a réussi à traîner Sylvain, c'est déjà ça. Il vient de se lever. Il déjeune au mousseux et il a l'air de trouver ça pas pire. Sacré Sylvain.

Bref, la place est pleine de beau monde, et je compte bien ne pas rentrer seule ce soir. Oubliez ça : le désintéressement n'existe pas. Et puis, parfois, dans les bras d'un gars, la vie est tellement belle !

À six heures et quart, on a déjà vendu une trentaine d'exemplaires. C'est alors que votre toute dévouée prend la parole et présente l'auteure, l'éditrice, sa mère, son chien Harold et, bien sûr, l'Œuvre.

Juste à ce moment, un homme, une espèce de coureur des bois, tout sale, mal rasé, avec un demi-pouce de cheveu et une boucle d'oreille, beau comme un *wet dream* – vous avez tous et toutes reconnu Marc Auger –, fait son entrée. Et Ninon, qui est à côté de moi, n'a pas un geste, seulement un sourire qui la rajeunit de trente ans – ce qui la ramène au temps où elle n'était encore qu'un fantasme de ses parents, mais n'est-ce pas ce que Ninon Lafontaine est, en fait, un fantasme (c'est un compliment) – et je sens passer des ondes, mes amis ! Une vraie centrale électrique. J'écourte donc mon discours et je distrais l'attention de ses fans pour qu'elle soit libre d'aller vers lui.

En passant, je sacre seulement un coup de poing à l'épaule du héros.

– Tu me dois cent piastres, dis-je en guise d'entrée en matière.

C'est ma manière de détendre l'atmosphère. (Ça marche.)

– Joanna Limoges ! Ma guidoune préférée !

– Mange de la marde, réponds-je.

Là, si l'atmosphère n'est pas encore détendue, j'abdique !

Une serveuse passe avec un plateau plein de verres de mousseux, je m'en empare – merci, madame ! –

et je le tends à Marc et à Ninon, qui trinquent en se regardant dans les yeux, puis je fous le camp.

C'était arrangé avec la fille des vues. Marc a téléphoné à Dany en arrivant à Mirabel, hier, et elle est allée le chercher avec la nouvelle minoune de son chum. Ninon n'était pas chez elle, un hasard, et il m'a appelée. Ensemble, nous avons manigancé un plan : il venait coucher chez moi (oubliez ça, le désintéressement n'existe pas) et arrivait à six heures au lancement, histoire de faire une surprise, vous savez, comme dans les westerns, les filles qui se cachent dans des gâteaux?

Sauf que le petit comique, histoire de gâcher à moitié la soirée de Ninon, a soudain la joyeuse idée de tomber dans les pommes en plein milieu de la salle tout de suite après la scène du regard fatal (fatal à ce point-là, par exemple, on pensait pas !). Ce qui fait que Ninon, qui ne l'avait pas vu depuis quatorze mois, a profité de sa présence exactement trois minutes dix-sept secondes.

On ramasse le héros à la petite cuillère et on le livre illico presto à l'hôpital le plus proche, où on diagnostiquera demain qu'il est atteint de malaria. Pour ceux qui auraient la galante idée de se poser la question, je vais très bien, merci. La malaria se transmet exclusivement par piqûres d'insectes. Pour ce qui est des autres, qui n'ont pas pensé une seconde que je pourrais avoir payé ma partie de fesses d'hier par un échange de virus, je m'en rappellerai, va !

Bref, ce fut une soirée mémorable, à tous points de vue. L'atmosphère était hot au point que Patricia m'a cruisée ! Elle est libre, ces temps-ci. Je lui ai donné un gros french, mais ce n'est pas allé plus loin. Ce qui m'a fait plaisir, c'est qu'elle n'est pas partie seule, à la fin de la soirée. Ça va lui faire du bien ! Non, Patricia, ne me frappe pas avec le livre de Ninon !

Quant à Ninon, pauvre chouette, elle est allée passer la nuit chez Dany. C'est Sylvain qui l'a kidnappée. Elle ne voulait rien savoir, mais il était hors de question qu'on la laisse seule ce soir.

Quant à moi, j'ai rencontré un gars... (On est nymphomane ou on ne l'est pas, que voulez-vous, moi, je le suis, je vis avec, tâchez de faire pareil.) Non, je ne vous raconte pas. C'est-tu assez frustrant, han ! Ça vous apprendra, pour toutes les fois que vous m'avez trouvée fatigante avec mes histoires de guerre.

20 juin

J'avais bel et bien rêvé : le Marc qui se trouvait devant moi, amaigri et bronzé, c'était mon ami et quelque chose comme mon frère, pas l'homme de ma vie. Il n'a pas changé d'un iota. Il sent l'aventurier et l'adolescent, il a le rire blanc (et or) dans ses lèvres pulpeuses. Il m'a pris dans ses bras. On s'est serrés très fort. Il sentait le tabac et la peau. Dany est passée et, sans s'arrêter, lui a tendu mon livre. Il l'a regardé.

— C'est toi ? a-t-il dit.

J'ai hoché la tête et j'ai souri, gênée comme si j'étais nue devant un étranger.

— Ne rougis pas. Tu es belle.

Je ne savais pas trop si ces phrases avaient un rapport avec le livre.

Il m'a embrassée. Puis il s'est affaissé dans mes bras, et je l'ai soutenu comme j'ai pu jusqu'au sol. J'étais sûre qu'il était mort. Le moment que j'avais attendu pendant si longtemps était déjà fini, et peut-être pour toujours.

J'ai passé le reste de la soirée dans un cauchemar de civisme et de mondanités. Après, Sylvain a téléphoné à l'hôpital, et j'ai su qu'il vivrait. Je le reverrai bientôt.

Voilà. Back to the reality. C'est à nouveau l'enfer du neuf à cinq, le lever programmé, le déjeuner préparé, le sempiternel lunch quotidien, sauf les jeudis de paie. C'est le cauchemar du centre-ville, dans les dédales labyrinthiques du métro (Montréal est la plus grande ville souterraine du monde !). Et les dompteurs-contrôleurs dans leurs boîtes de plexiglas, à l'affût des femmes qui claquent leurs talons hauts, bien dressées sur la pointe des pieds, reluquent les culs proéminents dans les jupes serrées fabriquées en série.

Je me suis absentée de ma vie pour cause de travail. Je veux m'absenter de ma job pour cause de vie. Fuir...

Après ma première journée de travail, j'ai franchi la porte sans difficulté ; finalement ; je n'étais pas dans un film de Stephen King, je me suis échappée. Ce qui ne me donne pas grand-chose, il faut bien l'avouer, sinon plus d'espace autour à combler, plus de choix à envisager.

Jusqu'à demain matin, neuf heures.

Vivement que j'aie écrit un best-seller...

N.

CHAPITRE 5

Où le futur
fout la paix au présent

Ordre du jour

0. Présences
1. Jazzjazzjazz !
    1.1. Conte pour faire tomber les illusions
    1.2. Une critique de Joanna Limoges
    1.3. Les mots pour le taire, par Patricia Chaillé
2. La vie en rock and roll
    2.1. Entrée lavalloise
    2.2. Amuse-gueule nordique
    2.3. Colère froide
    2.4. Corps tiède
    2.5. Brûlante amitié, dessert en forme d'amerris-
        sage sur le lac Nominingue
3. Last call
    3.1. La petite sirène, par Dany Lamont
    3.2. Gloria !

Ce soir, j'avais décidé de me payer un vrai vendredi soir de travailleuse : j'allais me payer un cinq à sept aux Zéclopés, sur Rachel, et si, après avoir terminé ma deuxième bière, je n'avais rencontré personne que je connaissais, ou engagé aucune conversation, j'irais manger un sous-marin Covedette avec extra-cappicole, puis j'irais danser quelque part jusqu'à épuisement total et je ne rentrerais que quand, bien saoule, je serais sûre de dormir. Délivrée de mon obsession, de ce maudit roman qui avait fini par prendre toute la place, j'ai le goût de bouger, de sortir et de provoquer des émotions nouvelles.

Heureuse surprise, quand j'ai mis le pied dans le pub, je suis tombée nez à nez avec Sylvain, qui s'est empressé de m'entraîner à sa table, où je me suis retrouvée coincée entre ses copains Alain et Jean-Marie, face à lui et à une amie, Jacynthe.

Ça faisait bien mon affaire. J'avais vraiment le goût d'oublier cet emploi absurde que j'occupe à la Commission des transports, où je n'ai pas encore compris à quoi peut bien servir le travail que j'effectue.

Comme toujours dans les cinq à sept, on a parlé de travail. Je me suis présentée aux inconnus (ma foi, comme dirait Joanna, fort baisables) qui semblaient intéressés par ma charmante personnalité. Il faut dire que j'avais envie de rire, de me laisser entraîner dans une de ces folles soirées sans fin.

On a commandé un pichet de bière importée, et les paquets de cigarettes patinèrent bientôt sur la table trempée. Les gens riaient autour de nous, le tapage des voix était assourdissant, je

me sentais agréablement engourdie. Je tâchais de ne pas penser
au lundi suivant, et d'enfouir au fond de ma mémoire les paroles
de ma collègue de travail :

— Tu sais, avait-elle dit, ici, on entre comme temporaire et on
conserve ce statut des années, mais, généralement, on n'est jamais
mise à pied.

Moi, j'avais accepté un contrat de trois mois, sans aucune
intention de le prolonger, et je ne voulais surtout pas me laisser
prendre au piège du bon salaire et des conditions de travail en
or. Et, justement, Sylvain m'en rappelait la raison en cinq mots :

— Ninon a écrit un livre.

Je trouvais que cela condensait très bien le fond de mes pensées : je n'ai pas fait tout ce que j'ai fait pour me retrouver morte-
vivante à mon âge, à connaître mon avenir jusqu'à ce que fonds
de pension s'ensuive.

J'espère d'ailleurs beaucoup du Salon du livre de Montréal,
qui se tiendra sous peu, et auquel je serai présente. Mais j'ai
aussi très peur, alors je ne voulais pas poursuivre sur ce sujet.

Bien sûr, cela suscita beaucoup d'intérêt chez mes vis-à-vis,
mais j'éludai les questions.

— Oh, une histoire à plusieurs personnages, une chronique
de la décennie ; de toute façon, jusqu'à présent, on n'en a pas
beaucoup entendu parler. (Puis à Sylvain :) Où est Dany ?

— Heu... chez une copine... On a décidé de prendre un
break, comme on dit.

Jacynthe quitta la table pour aller aux toilettes et demanda
d'un air sous-entendu, en reluquant particulièrement du côté de
Sylvain, si quelqu'un voulait la suivre. Alain se leva.

— Dis donc, Sylvain, serais-je de trop ?

Sylvain émit un long soupir.

— Disons que tu es arrivée au bon moment pour me rappeler
que j'aime ma blonde.

— Qu'est-ce qui s'est passé ?

— Depuis qu'elle s'est fait sauter dessus, Dany n'est plus la même. On dirait qu'elle m'en veut de ne pas avoir été là quand elle avait besoin de moi. Elle ne l'a pas verbalisé comme ça, mais je vois bien qu'elle est toute perturbée. Ça a l'air fou à dire, mais j'ai l'impression qu'elle vient de se rappeler que je suis un homme, moi aussi.

— Et Jacynthe, là-dedans ?

— Elle travaille avec moi depuis pas longtemps, elle ne sait pas que j'ai une blonde — et je n'ai rien fait pour la détromper.

— Tu sais comment je pourrais joindre Dany ?

— Non. Elle m'a dit qu'elle me rappellerait, mais elle n'a pas voulu me laisser ses coordonnées. Je sais qu'elle est chez une amie. Oh, Ninon, ça fait au-dessus de cinq ans qu'on est ensemble. Je l'aime, cette petite bonne femme-là, tu ne peux pas savoir comment. Elle a besoin de moi, elle est la première à m'avoir demandé quelque chose, quand tout le reste de la planète se câlissait de moi comme de leur première poffe, à commencer par mes parents, qui ont joué à balle avec moi pendant dix ans. Je veux faire ma vie avec Dany, je veux avoir des enfants de cette fille-là, un jour.

J'ai changé de place pour être plus près de lui. À ce moment, Jacynthe revint avec Alain et me regarda, un peu déconfite. Je lui adressai un sourire amical.

— Eh, tu n'es pas le tuteur de Dany, tu es son chum !... Il n'y a qu'une chose à faire, c'est d'être patient, et de lui rappeler tout le temps que tu l'aimes.

Il m'a donné un gros bec sonore juste avant de commander un autre pichet. Jacynthe placotait maintenant avec enthousiasme avec Alain, et je me fis la réflexion très « Joannaenne » qu'on ne meurt jamais de n'avoir pas baisé avec quelqu'un. Me voyant à nouveau disponible, Jean-Marie m'adressa la parole.

Il est très intéressant. Il travaille pour une petite maison de production de spectacles et s'occupe d'engager des sorcières pour l'Halloween, des pères Noël dans les centres commerciaux et des patineurs pour la fête des Neiges. Son travail a l'air complètement fou, et on a beaucoup rigolé. On a fini par aller manger, puis par aller danser et, enfin, je les ai invités à venir finir la soirée chez moi. J'avais du cognac et de la vodka. En entrant, j'ai mis le pied sur une lettre de Marc. Puis je me suis éclipsée deux minutes à la cuisine, pour appeler Joanna.

— Rapplique, lui dis-je, j'ai un gars à te présenter.

A-t-elle des ailes ? J'étais à peine assise que ça sonnait à la porte.

Ma Joanna entra, vêtue simplement d'un jean et d'un coton ouaté évasé au cou, avec une petite camisole dessous dont on voyait la bretelle. Et elle était à peine maquillée. Elle était calme (mais qu'est-ce qu'elle avait ?) et elle but (modérément), rit (pas trop fort), et fit de beaux yeux à Jean-Marie avec enthousiasme mais sans parler de cul. « Elle a dû baiser dernièrement, pensai-je, aussi, elle n'est pas avide comme d'habitude. » J'ai su hier que j'étais dans les patates. Quoi qu'il en soit, elle partit tôt, non sans avoir obtenu le numéro de téléphone du gentil Jean-Marie.

Bien sûr, j'ai bien pensé un instant à le garder pour moi, mais j'ai senti que ce n'était pas encore le moment. Je n'ai pas assez d'énergie pour entamer une relation. La pensée de me retrouver trop vite nue à côté d'un autre corps nu et inconnu m'angoisse, tout à coup. Il y a trop peu de temps que j'ai renoué avec ma paix pour ébranler son fragile équilibre. Et puis je trouve qu'ils feraient tellement un beau couple.

N.

Tout le monde est là! Incroyable mais vrai! Ça n'était pas arrivé depuis des siècles!

Vous me direz que Marc trouve quand même le moyen d'être au diable vert, puisqu'il n'est sorti de l'hôpital que pour se pousser dans le Nord. Mais, quand même, dans son cas, deux cents kilomètres, ce n'est rien, on le sent tout près.

J'avouerai, par contre, que Dany n'a pas tout à fait l'air là, mais on la suit du coin de l'œil sans en avoir l'air.

Quant aux autres, elles ont l'air de baigner dans l'huile, alors j'en profite pour m'éclater, car jouez haut-bois, résonnez musettes, c'est l'été et le Festival de jazz! Donc, je suis en vacances!

Je passe les dix prochains jours dans la rue, comme chaque année, à jouir par les oreilles devant tout le monde et à me rincer l'œil dans toute cette quasi-nudité générale.

Évidemment, j'abuse sans vergogne de ma carte de presse pour me glisser derrière le stage après les spectacles, qu'est-ce que vous pensez? Et je ne quitte le site que pour faire visiter ma ville à des touristes étourdis par tous les potins que je connais.

Mais, hélas! hélas! il m'arrive quelque chose qui ne pouvait pas plus mal tomber, car, comme dit le sage, la MTS frappe toujours quand ce n'est pas le temps...

Afin d'expliciter le contexte, il faut que je me situe par rapport à l'usage du condom dans les mœurs modernes : moi, c'est bien simple, depuis que j'ai appris que Rock Hudson était homosexuel (ce qui m'a brisé le cœur, vraiment, quelle perte pour la gent féminine), je me suis fabriqué une boucle d'oreille avec mon stérilet, j'ai acheté une boîte de condoms (format familial), et j'ai juré sur la tête de mes premiers morpions de ne plus jamais prendre que des risques calculés au plus serré. Je lis tout ce qui s'écrit sur le sida, je suis sagement le manuel d'instructions de la parfaite *safe woman*, et je vais bientôt publier un guide sur «Les 100 meilleures façons d'introduire le condom dans la conversation».

J'avais juste oublié, avec toutes ces histoires, que le chlamydia se transmet aussi par relations orales-génitales, autrement dit : quand tu fais une pipe à un monsieur.

Aussi, quand Ninon m'a appelée, je me suis garrochée chez elle, plus par réflexe que par envie de folâtrer dans les buissons. Or, quand Ninon décide de me présenter quelqu'un, c'est qu'elle est sûre de son coup. Comme de fait : pour la première fois depuis des siècles, je semble être tombée sur un gars qui a du bon sens. Dilemme : je le kidnappe et je lui refile mes microbes ou je m'assois sur la glace et je communique, au lieu de draguer comme si ma vie en dépendait ? Réponse : on ne fait surtout pas ça à un gars qui nous intéresse.

Ça a marché ! Ma mère avait raison ! En dehors d'un lit, ils viennent tout seuls, sans aide ! (Mais me voilà vulgaire.)

Et un numéro de téléphone en poche, un !

Le lendemain, l'âme toute guillerette, je rencontre Dany au métro Laurier, pas très loin de ma piaule actuelle (j'habite sur Saint-Laurent, pour plus très longtemps, ce n'est plus in comme ça l'a déjà été). Je l'invite à venir dîner avec moi au Complexe Desjardins, car il y a un show super ce midi. Elle accepte, à condition qu'auparavant on passe chercher son chèque de bourse d'été à l'UQAM.

Trente-cinq minutes plus tard exactement, à midi pile, on est assises par terre sur la place, et je reluque les fonctionnaires cravatés tout en ponctuant frénétiquement la musique à grands coups de souvlaki pita. Dany a fermé les yeux et dodeline de la tête en ébauchant un sourire. Dany, on ne te lâche pas d'une semelle, on est là, tu peux compter sur nous.

— Bière, clamé-je dès les dernières notes de musique. Viens-t'en.

C'est sans appel. D'autant plus que la chaleur nous tombe dessus aussitôt qu'on met le pied dehors, nous rappelant que l'été commence à peine et que, donc, il achève déjà. Aussi, il faut se dépêcher de le célébrer.

C'est donc une fois qu'on est assises sur l'herbe de la pente de la rue Jeanne-Mance qu'elle répond à toutes les questions que je n'aurais jamais osé lui poser. Jamais ma curiosité n'a tant regretté d'être satisfaite. Elle m'assène le neuf avec l'ancien, me dit tout en très peu de mots, et je maudis en silence la société qui a rendu des aberrations semblables possibles, incapable de parler. Je l'entraîne sans parler et on passe l'après-midi à absorber l'énergie qui se dégage du cœur de la ville, devenue un immense bar en plein air pour dix jours de go. Je réussis à faire sourire Dany, mais je déploie pour ce faire des efforts d'humoriste.

Elle me quitte à la fin de l'après-midi, avec une petite mine. Après l'avoir laissée au métro Saint-

Laurent, je décide de faire le tour du site, histoire de me changer les idées.

C'est jeudi, et ce n'est pas parce qu'on est en congé qu'il faut résister au plaisir de se relire. J'ai suffisamment rushé pour publier cet article avant de partir. Je prends négligemment d'une main l'*Hebdo Culturel de Montréal Entre Tous* (celui où j'écris, bien sûr) et je m'installe au pied de la scène Labatt Blues en attendant le prochain spectacle. Je sirote ma bière dans mon verre de plastique en faisant ma snob avec mon magazine.

Je relis toujours mes articles, une fois qu'ils sont publiés, pour voir comment la mise en pages leur va ; pour les mettre en contexte avec ce qui se passe autour, l'époque, l'ambiance, la température ; pour savoir si j'ai bien rendu l'état de santé de Montréal à cet instant même. Mais je ne suis pas très pressée de relire ma chronique de cette semaine, parce qu'elle me fait un peu mal. Allons, un peu de courage.

Critique des *Chroniques* de Ninon Lafontaine

Vous allez lire la critique la plus subjective, la plus biaisée, la plus vendue (même si ça ne me rapporte pas un sou) de votre vie et de l'histoire du journalisme artistique. (Pas que les critiques soient généralement objectifs : le désintéressement n'existe pas. Mais, en général, on n'ose pas afficher ses couleurs de peur de se faire accuser de crimes innommables.) De toute façon, je n'ai jamais prétendu être critique littéraire. Moi, je traite de l'événement, pas de l'objet. Et si toutes les chroniqueuses en faisaient autant, cela ne pourrait aller que mieux.

L'auteure est ma meilleure amie, ce qui est une preuve indéniable de grande qualité, puisque je ne suis pas amie avec n'importe qui, qu'est-ce que vous croyez?

Même après ce qu'elle dit de moi dans ce roman.

Le roman de Ninon Lafontaine est génial, puisque ça parle de moi (entre autres) et que je ne vois vraiment pas comment un personnage principal pourrait dire du mal d'elle-même. Alors, si ma personnalité fulgurante vous intrigue, si mes chroniques vous passionnent (et sinon, pourquoi êtes-vous en train de me lire? Allez-vous-en! Je ne veux pas que vous me lisiez pour me haïr, O.K., là? Chenaille! Du balai! Tournez la page, gang d'empêcheurs de médire en rond!), ce livre est pour vous, puisqu'il vous révélera un tas de choses que JAMAIS je n'aurais mises à jour de moi-même.

C'est l'histoire d'une femme, pas vraiment rousse, surtout brune, avec des reflets flamboyants dans sa tignasse frisée, des taches de rousseur sur les joues et deux yeux qui changent avec la météo qu'il fait dans son cerveau.

Elle a vingt-sept ans. C'est un âge mou, sans signification. Ça ne ressemble à rien. J'en connais qui se marient à cet âge-là, d'autres qui accouchent, certaines finissent leurs études et d'autres les commencent. Elle, elle ne sait que faire avec ce nombre idiot.

Ses parents s'équivalent dans leur médiocre moyenne. Un jour, ils ont été ce qu'ils sont, ils ont trouvé ça tripant, je suppose, car ils sont les mêmes depuis. Ils changent parfois un meuble, une auto, mais ils restent immuables, encroûtés, désespérément ennuyants – et, quelque part, fiers de l'être, je pense.

Le chic de leur époque, c'était d'être comme les autres, de posséder les mêmes biens.

Elle habite un grand trois-pièces dans un sous-sol de Villeray. Ce n'est pas le genre demi-sous-sol très éclairé, ça non. C'est plutôt le style cave emménagée, très sombre. Elle n'a toujours que les reflets du soleil, et surtout l'hiver, quand les rayons se réverbèrent sur la neige. Sa salle de bains, noire et verte, a un style fort chic, à cause de la fausse marbrure qu'elle a peinte par un été désœuvré, comme ça, tiens, si je peignais du marbre. Et puis, le salon, très obscur, attend les amies, trop souvent, trop longtemps. Et enfin, dans la grande chambre carrée, le lit rose, monumental objet avec escalier de bois, donne un cachet de mille et une nuits à la pièce.

Mais n'est-elle pas Schéhérazade?

Elle aime ce lieu, elle y passe tout son temps. Elle sort peu, surtout quand elle est sans travail. Ce logement s'agence à tous ses trains de vie. Quand elle fait du neuf à cinq, elle déjeune au coin du rayon de soleil qui s'infiltre entre les autos stationnées et pénètre par la fenêtre de la cuisine. Il lui arrive d'avoir des contrats à l'hôpital, la nuit. Alors il fait noir toute la vie. On dort très bien dans un sous-sol sombre pendant la journée.

Elle se sent protégée, sous terre, loin de tous dangers, un peu comme dans le ventre de sa mère, je présume. Ici règne une paix salutaire. Par nuits calmes, elle entend les métros nocturnes du service d'entretien passer pas très loin de sa salle de bains à toute vitesse.

Mais c'est tout ce qui y passe. Le vide, lui, stagne entre les murs. Les innombrables araignées qui partagent son logement, et qui, au début, étaient ses amies, finiront par tisser tant de toiles qu'elle étouffera.

Oh, il y aura bien un amant, de temps en temps, qui s'incorporera aux saisons, qui les chevauchera parfois, qui les perturbera plus rarement. Il y aura un préposé aux bénéficiaires, à l'hôpital, et cela rompra les habitudes. Ce sera une période étrange, à ne jamais voir le soleil, à déjeuner d'une pizza ou souper d'un bol de céréales, à baiser dans le placard à balais de l'hôpital ou dans les couvertures éternellement en bataille, dans la lointaine rumeur de l'heure de pointe. Parce qu'elle n'a jamais appris à retenir un homme, ça finira comme ça avait commencé, par un changement de shift. Personne n'en saura jamais rien.

Il y aura ce musicien, qui la touchera bien plus loin qu'il ne l'aurait voulu, parce qu'elle se sentait si vulnérable, à cette époque, qu'elle en était maladroite et pétrifiée, et qui ne lui rappellera pas assez cet autre, qui a partagé sa vie pendant quelques années, voilà si longtemps déjà ! et qui est parti sans raison, simplement pour voir ce qu'il y avait ailleurs. Parce qu'ils étaient trop jeunes pour voir dès le départ qu'ils n'avaient rien en commun, à part le roux des cheveux – quel beau couple ils faisaient ! l'a-t-on assez dit ! – et trop inexpérimentés pour savoir qu'il existe des compromis.

Alors, parce que cette vie est décidément trop morne, dans sa tête, elle se racontera plein d'aventures. Elle regardera les autres vivre et traduira leur existence en leur prêtant des sentiments dont nous – ses chums de tous les sexes – n'avons même pas conscience.

Cette fille-là, moi, je l'aime. Cette fille-là, c'est un peu son auteure.

Et pourtant, ce livre, écrit par ma plus chère amie, m'a blessée au plus profond de moi, à cause de ses vérités lucides et implacables. Et je ne peux pas ne pas en parler, parce que ça me heurte trop.

J'ai encaissé sans broncher. J'en suis capable. Ninon, tu as misé sur mon honnêteté, alors d'accord, je joue le jeu. Tu as dit vrai. Je te l'écris, mais je ne sais pas si je pourrai te le dire de vive voix.

Vous ne la connaissez pas; pourtant, méfiez-vous: elle parle aussi de vous.

◆

C'est drôle, ne savoir que penser d'un texte qu'on a écrit soi-même. Qu'est-ce que je voulais dire, au juste?

Je lis ensuite l'éditorial, distraitement, puis les messages. «Le Californien est en ville. Joanna, appelle-moi chez tu sais qui! Vince.» Hélas! mon bel aventureux, ce n'est pas cette année que nous forniquerons comme des bêtes dans la moiteur de juillet. Mais je vais tout de même le rappeler avant son départ, tout d'un coup que j'aurais l'occasion d'aller lui dire bonjour à Los Angeles un de ces quatre matins!

J'en suis à ces lubriques pensées quand j'entends une voix déclarer:

— Par là Hydro-Québec, monopoliste de l'électricité; par ici, la Place des Arts, où l'élitisme culturel a bien meilleur goût; et, devant vous, Joanna Limoges.

Ah ben calvaire! Patricia! Patricia suivie de trois Chiliens et de deux Chiliennes complètement dépaysés. Elle se penche pour m'embrasser.

— C'est Jim Zeller qui joue dans vingt minutes, que je lui chuchote dans l'oreille, si tu veux leur montrer un autre monument à la décadence, c'est le temps !

— Es-tu folle, ils et elles vont s'enfuir en courant jusqu'au port pour être rapatriés !

Elle s'assoit pourtant. Les autres l'imitent. On se présente. Ils sont beaux, elles sont pâmantes ; ça met une tache de couleur dans le parc encastré dans les édifices. On placote un peu mais ils viennent d'arriver, ils parlent à peine quelques mots de français. On échange quelques mots d'américain. Je réussis à leur expliquer un peu qui est le personnage qui jouera dans quelques minutes. Je leur assure qu'ils ne doivent pas voir ça comme un exemple représentatif de notre belle nation, mais que c'est fichtrement bon. Ils sont games, mon accoutrement les fait rire, ils ont le goût de s'amuser. Ils l'auront voulu.

— Des nouvelles de Ninon ? demandé-je à Pat avant que le spectacle commence.

— J'ai lu son roman, dit-elle en détournant le regard.

— Pis ? dis-je en détournant le mien.

— Elle a tout dit, tout, même ce qu'elle n'était pas censée savoir. Elle a fouillé ma personnalité, elle a analysé mes discours à mon insu, elle m'a inventé une vie plus vraie que nature, et je n'ai jamais autant haï quelqu'un que j'aime.

C'est une amie fidèle et précieuse, comme on en a peu. C'est une femme que j'admire, et il s'en faudrait de peu pour l'aimer à en perdre la tête. Mais je respecte sa (maudite) hétérosexualité. Elle sait tout de moi, elle me comprend au quart de tour, elle me répond sans que je pose de questions, et ses opinions sont pour moi d'une importance extrême.

Mais tant de vérités…

◆

Le spectacle commence, ce qui m'évite de répondre à Patricia, et ça m'arrange, car, pour une fois dans ma vie, eh oui, je l'avoue sur la place publique, JE N'AI RIEN À DIRE.

À la fin de la soirée, je propose seulement à Pat d'aller prendre un verre le lendemain avec Dany, l'informant que ça ne va pas fort chez les Lavallois. Elle accepte quand je lui promets sur la tête d'Olympe de Gouge que je la ramènerai chez elle, car quoi qu'on en dise, il est encore plus difficile de faire venir une Montréalaise à Laval qu'une Lavalloise à Montréal, et on se fixe rendez-vous. Je me charge d'avertir Dany.

On se retrouve donc le vendredi, toutes trois assises chez Théos, un joli café de Laval, l'une brassant sa Margarita (ça c'est moi), l'autre, son café au lait, pendant que la troisième parle en arrachant l'étiquette de sa bière, taciturne. Je cogne la table de mon poing.

— Pourquoi je ne suis pas capable de le prendre, sti ? Il n'y a rien de faux dans ce qu'elle a dit dans son roman. Mais c'est un roman. Ça veut dire que c'est de la fiction.

Patricia me regarde, goguenarde.

— Ce n'est pas à moi de te rappeler l'abâtardisation des genres littéraires… Mais elle a dit la vérité, c'est exact.

— Bon, alors pourquoi on a cet air-là ? Même Marc, l'autre jour, avait cet air-là ! Au téléphone, faut le faire !

— Moi, ce que je ne prends pas, dit Patricia, c'est de n'avoir jamais compris combien je pouvais m'être rendue ridicule avec mes éternels discours.

— Pis moi ? Depuis que j'ai perdu ma cerise que je me pète la gueule que j'ai couché avec la planète au grand complet, et, en lisant son roman, j'ai découvert que j'étais rien qu'une pute ! Ça m'en a pris du temps pour allumer !

Patricia proteste.

— Elle n'a jamais écrit ça !

— Elle n'a jamais écrit que t'étais ridicule non plus. Elle n'a jamais écrit que Dany était une belle idiote, pis que Marc avait l'air d'un chien qui courait après sa queue ! En plus, si je ne m'étais pas ouvert la trappe MOI-MÊME, personne n'aurait vraiment pu savoir qu'elle parle de moi.

— On a l'air fines, dit Dany. Des personnages qui se choquent contre leur auteure.

Je la regarde longuement avant de dire :

— Mais je ne suis pas choquée.

Je mets les mains devant mon visage pour cacher mes larmes.

— J'ai de la peine.

Patricia réagit.

— Ça pas d'allure, on est ses meilleures amies, pis ça fait deux semaines qu'on l'a pas rappelée pour lui parler de son livre… Au fait… C'est débile, je n'ai même pas pensé à vous le dire.

— Quoi ? demande Dany en s'efforçant de montrer de l'intérêt.

— J'ai écrit un pamphlet — un pamphlet inséré dans celui d'Amnistie, en fait — relatant mes aventures sud-américaines. Quelqu'une, au Conseil du statut de la femme m'a appelée pour m'offrir un poste de direction pour la région Montréal métropolitain. Un poste permanent. Je commence au début d'août. Et c'est bien payé !

Je ne lève pas mon verre comme à l'accoutumée. Je quitte ma chaise pour serrer Patricia très fort. Dany fait de même.

— Confidence pour confidence, dis-je, je pense que je suis en amour, les filles. Pour de vrai, ce coup-là. Avec le gars que Ninon m'a présenté.

C'est au tour de Dany de verser une larme.

— Vous vous en sortez, dit-elle. Vous avez trouvé votre voie. Moi, depuis que je me suis fait attaquer, je n'arrive pas à reprendre le dessus ; ça a soulevé toute la vase que je gardais au fond, pis je suis devenue tout embrouillée.

Je l'embrasse sur la tempe, puis je vais aux toilettes. En revenant, je saisis machinalement un journal qui traîne sur une table. Les filles restent coites. Je me mets à parcourir des yeux les pages culturelles, sans grand intérêt. Patricia boit son verre à petites gorgées, les yeux dans le vague. Dany continue à brasser son café, et sa cuillère fait un petit bruit agaçant quand elle touche la porcelaine.

— LE TABARNAC !

Dany et Patricia, d'un parfait accord, sursautent ça de haut. Je me lève et je jette le journal à bout de bras, avant de saisir ma sacoche.

— Désolée, les filles, faut que je rattrape mon article avant l'heure de tombée pour le remplacer par un autre.

— Qu'est-ce qui se passe ?

— Tsé, le vieux crisse qui passe ses colonnes à s'engueuler avec tous ses collègues de moins de deux cent cinquante ans ? Eh bien, il vient de démolir le livre de Ninon. Et il passe ma dernière chronique au cash par-dessus le marché.

Patricia se précipite en protestant sur le journal qui gît sur le plancher.

— De quoi il se mêle, tu n'es même pas de son journal !

— De nos jours, ma chère, la critique fait couler plus d'encre que les œuvres elles-mêmes. Les filles, clamé-je rageusement en relevant fièrement le buste, il savait pas à qui il avait affaire ! Salut, on garde le contact !

Patricia et Dany restent dans le café, à lire le ramassis de fiel qu'on vient de déverser sur le compte de leurs amies, sans avoir le courage d'appeler Ninon pour la réconforter. Et ce n'est qu'une heure plus tard que Patricia réalise qu'elle a perdu son lift.

◆

(Reçue le 10 juillet)

5 *juillet*

Lac Nominingue
Très très chère Ninon,
Merci pour m'avoir si souvent téléphoné à l'hôpital, ta voix valait tous les médicaments de la terre.
J'aurais contracté cette malaria en Équateur, en prison. J'en serai bientôt guéri mais j'en resterai porteur. Je ne pourrai plus jamais vendre mon sang. Bof. Est-ce que je vais repartir un jour ?
Car j'ai atteint ma destination (tu as bien lu) : je m'occuperai de l'écurie de mon oncle dans les hautes Laurentides pendant un bout de temps.

Sauf que j'ai peut-être un projet… Ne ris pas !

Il y a une terre à vendre, ici, avec un shack dessus, assez branlant, mais muni de l'électricité et d'une pompe à eau. Juste assez civilisé pour moi ! La ville ne m'intéresse pas, le monde est trop grand, il y a trop de gens et de choses à connaître, je ne peux pas m'y arrêter. On peut se perdre dans Montréal, c'est certain, mais la ligne d'horizon est trop courte, le regard est sans cesse arrêté par les bâtiments. Montréal, c'est pas Hong Kong ou Bombay, ou même New York, loin s'en faut. On peut faire le tour de l'île d'Hochelaga, on peut comprendre assez vite. Ce n'est pas un mal d'ailleurs : les monstres urbains comme Mexico ou Shanghai sont des pièges.

Montréal est une belle grosse ville d'Amérique, paisible, rassurante, capable de folie à ses heures. Pas comme Rio ou Paris, où il ne faut surtout pas s'incruster, mais juste assez pour qu'on y trouve le plaisir d'y vivre. J'aime autant ne pas y retourner. Et puis mon pays ne s'arrête pas après les ponts de Montréal, que je sache.

Alors, je pense que je vais essayer de m'installer pour terminer mon mémoire tranquillement. Après, j'aurai définitivement dilapidé ce maudit héritage, et je devrai gagner ma vie. Alors, peut-être que je deviendrai un adulte.

Oui, je suis un ermite, un asocial, un maudit sauvage. Oui, je prends, j'absorbe et je ne rends pas toujours la pareille. Oui, j'ai besoin de beaucoup d'espace entre les autres et moi.

Oui, j'ai compris ce que tu voulais dire. Le personnage par lequel tu m'as métaphorisé m'a renvoyé des tas d'incohérences.

Je m'excuse de ne pas t'avoir revue avant de partir, mais j'ai lu ton livre, et… j'ai fui ici pour prendre un peu de recul.

Allez-vous monter, toi et les filles, comme Joanna l'avait suggéré avant que je parte ? Ça serait le fun de vous voir bouger, pour une fois. Vous représentez si bien le trip urbain, on dirait que vous êtes prisonnières des ponts de l'Île. Oh, Joanna et Patricia sont passées maîtresses dans l'art de trouver l'aventure à même Montréal, et, toi, tu réussis même à la faire naître du vide, en chevauchant le tapis volant de ton imaginaire, mais souviens-toi comme tout est différent quand on regarde les choses d'un autre point de vue ! Vous viendrez me voir ?

Je t'aime, Ninon, tu es un beau personnage. Mais maudit que tu es dure, des bouts ! Écris-moi vite !

Marc

◆

Réponse à un vieux schnoque

1. Réponse à un critiqueux qui est autant capable de ressentir des émotions qu'une patate pilée.
2. Motifs pour lesquels je pense que cet individu est mûr pour la retraite, pis ça presse.

1) Ce monsieur essaie sans doute de nous faire croire qu'il a passé l'essentiel de sa vie sur la planète Mars et qu'il n'a pas d'amis. (Ça, remarquez, je le crois. Qui pourrait bien fréquenter ce casse-pieds de première ?) Car il est, selon lui, Objectif. Peut-être que c'est vrai, après tout, si l'Objectivité vient en crachant sur les gens. Ce monsieur argue que nous, les jeunes chroniqueuses, n'aurons droit au chapitre que quand nous serons mûres pour un *face lift*. En attendant, s'il faut l'écouter, nous avons tout juste le droit de nous taire en acquiesçant aux recommandations de nos canoniques aînés qui, eux, savent mieux que nous ce qui est bon pour nous.

Ce monsieur argue, en un mot : a) qu'une chronique n'est pas de la littérature ; b) que le post-modernisme n'est que ce qu'il veut bien être ;

c) qu'une critique subjective est un crime de lèse-litté-
rature.

Comme si ce monsieur n'avait pas lui aussi des
préférences, des préjugés et des opinions émotives,
irraisonnées. Ce monsieur se prend pour le Bon Dieu,
quoi. Pas n'importe lequel : le Bon.

Je répète donc à ce monsieur que je connaissais
Ninon Lafontaine, que j'ai aimé le livre comme j'aime
l'auteure, et que j'ai pris plaisir et douleur à son
œuvre comme je prends plaisir, depuis de longues
années, à fréquenter la femme, tout simplement.

2) J'ajouterai que ce monsieur est une vieille peau,
et qu'il peut sévir dans son journal avec ses amis
Mathusalem et monsieur Caron, mais qu'il peut laisser tranquille l'auteure Ninon Lafontaine avec « ses
anecdotes futiles », « ses amies ivrognesses » et « son
lyrisme patent », de même que votre serviteure, la
chroniqueuse Joanna Limoges, avec mes « jeunes opinions immatures », ma féminisation absurde et ma
« lassante autobiographie[1] ». Nous n'avons pas tous
l'âge des pyramides, monsieur, nous ne lisons pas
tous à la lueur de notre chargeur de pacemaker.

D'ailleurs, monsieur, j'oserai vous faire remarquer
que les termes que vous employâtes dans votre éditorial sont n'importe quoi sauf objectifs, froids et impar-
tiaux. Ils sont l'œuvre d'un vieux schnoque qui a oublié ses vingt ans, leurs malheurs, leurs tourments et
leur magnifique folie.

Enfin, je répondrai à ces effroyables commentaires
que vous me fîtes (d'abord en privé et sous le couvert) et selon lesquels un éditorialiste et un critique

---

1. Ne surtout pas voir l'article du vieux calvaire.

doivent parfois descendre en vrille un individu ou une œuvre pour conserver leur réputation, pour bien montrer qu'ils savent être durs même si ça leur fait de la peine, pour rassurer leurs lecteurs sur le fait qu'ils n'aiment pas tout également. Pour se faire un nom, quoi. C'est de la démagogie, monsieur. Et je baise mes mots.

Ensuite, sachez, monsieur, que je considère que mon français vaut bien le vôtre. La langue évolue (*Évolution*. Ne vous frottez pas les yeux. Cherchez dans le dictionnaire si le terme vous dépasse), et je sais parfaitement ce que je fais quand j'emploie des anglicismes, des québécismes, des néologismes et des « figures de style tordues » (en passant, ça s'appelle des métaphores).

Et parlant de langue, monsieur, je vous tire la mienne.

◆

12 juillet

Pour qui tu te prenais, Ninon Lafontaine, avec tes grandes prétentions littéraires, avec tes velléités d'auteure, avec tes belles ambitions d'écrivaine devenue, pour quoi tu prenais tes gribouillis couchés sur le papier vélin au clair de lune ? Qu'est-ce que tu croyais, Ninon Lafontaine, que le clan des six se pâmerait sur tes mots, que l'on te déclarerait la Réjean Ducharme en jupons des années 2000 ? Tu pensais vraiment que tes obscures élucubrations nocturnes intéresseraient quelqu'un, que les critiques ne tariraient pas d'éloges, que le prochain pavillon de l'UQAM porterait ton nom ? Tu attendais le Robert-Cliche, la richesse et la gloire ? Ainsi, ils allaient tous se mettre à genoux devant ce premier roman, à plat ventre devant ce ramassis d'imbécillités, devant ta petite personne minable et pâle ? Comme ça, tu avais plus de talent que les écrivains du dimanche ? Ton journal valait plus qu'une liste d'épicerie rédigée en vers ? Mais non, ma chère, tu n'es qu'une cul-terreuse, qu'une de ces sottes qui croient en leur talent, et qui se ridiculisent en publiant leur banal grimoire.

Tu croyais pouvoir échapper au vide, à la mort, passer à la postérité, à la mémoire ? Tu n'es rien, Ninon Lafontaine, tu n'es strictement rien qu'une bolle en français bonne à faire les mots croisés, tu n'es rien qu'une pauvre conne qui ne sert à rien, tu ne fous rien de bon, et personne ne veut de toi. Disparais donc, Ninon Lafontaine, disparais donc de la surface de la terre, puisque tu ne peux rien pour elle. Idiote ! ça a le culot de se prendre pour un personnage ! Comme si ton bricolage de mots était une œuvre d'art ! Comme si tu représentais un quelconque intérêt ! Tu es stupide, Ninon Lafontaine, et tu ne mérites pas de vivre. Je te déteste, profondément et avec joie. Tu ne mérites que ça. Et d'ailleurs je vais te tuer. Je vais te faire la haine.

Manon Lafontaine

◆

Tassez-vous, j'arrive !

Cet après-midi-là, prenant mon courage à deux anses, j'appelle ma vieille chume. Je n'ai pas vraiment le goût de lui parler, pour dire vrai (et il faut bien dire vrai, maintenant qu'on n'a plus rien à cacher, n'est-ce pas !). Je sais bien que je vais lui pardonner toutes ces vérités (il faut bien s'assumer, comme on dit, hein !), mais j'aurais volontiers laissé couler un peu d'eau sur le pont-tunnel. Sti qu'elle a été sans pitié. Pas moins pour elle que pour les autres d'ailleurs, ça, il faut bien le reconnaître. Mais c'est justement le problème de ce maudit roman : il y a trop de choses à reconnaître dedans. Bref.

Elle finit par répondre. Sa voix pâteuse m'inquiète. Au téléphone, l'atmosphère pèse deux mille livres au bas mot (alors que le sien ne s'est vendu qu'à cent six exemplaires à ce jour), au point que je suis écrapoutie sous le silence. Je tâche de l'alléger :

— Aurais-tu décidé, dis-je, subtile comme un truck à vidanges, de mettre mes leçons à exécution et de noyer tout ça dans un salutaire quarante-onces ?

— T'es pas drôle, Joanna.

Aïe ! ne pas me trouver drôle est un signe de dépression aiguë, même moi, je ne me suis pas fait bâiller depuis des lustres.

— Ninon, ça va ?

— Je nage dans l'allégresse. Si la planète me câlissait patience, ça n'irait que mieux.

— Je ne veux pas insister, Ninon…

— Excellente idée.

Je coupe court à tout épanchement sentimental.

— O.K., j'ai compris. Appelle quand tu veux. Si tu as le goût de parler, de ne pas parler, de brailler, de te changer les idées… Au fait, tu as lu mon deuxième article ?

— Oui, ne t'en fais pas, Joanna, tu as fait ce que tu as pu, tu n'as rien à te reprocher.

En fait, ça ne m'a même pas effleuré l'esprit, pourquoi elle dit ça ? Je n'ai pas le temps de lui poser la question. Elle raccroche après un rapide « salut » et je reste perplexe comme une cruciverbiste. Et soudain, j'ai un atroce soupçon.

J'appelle donc sainte Patricia à la rescousse. Elle n'est pas là. Elle n'est jamais là, ça doit être congénital (ce qui précède est absurde, mais j'en perds mes mots). Je lui laisse un message aux trois endroits où elle est susceptible de passer cet après-midi. Cinq minutes après, alors que je tourne comme une lionne en cage dans mon demie et demie, Dany m'appelle, dans un état de panique insolite.

— J'ai décidé de passer chez elle, mais elle ne veut pas m'ouvrir, Joanna! Je sais qu'elle est là, mais elle refuse de me laisser entrer. Qu'est-ce que je fais?

— Parle-lui, Dany, surtout, garde le contact! J'arrive bientôt.

Patricia a une grande qualité (à défaut d'un téléphone cellulaire, ce que je songe sérieusement à lui offrir pour sa fête): elle retourne ses appels.

— Salut, la belle pitoune, dis-je.

— Salut, Jean-Paul Belleau.

— Quand as-tu parlé à Ninon la dernière fois?

— Tantôt. Je me suis dit que ça ne pouvait plus durer, cette bouderie stupide. Elle m'a répondu au bout de quatre sonneries, la voix faible. Elle n'est pas allée travailler. J'ai tâché de la consoler, elle m'a répondu vaguement que plus rien de tout cela n'avait d'importance maintenant. Je ne savais plus quoi dire. J'ai donc décidé de passer chez elle plus tard, j'ai justement rendez-vous au bureau de Consultation-Jeunesse de Villeray en fin d'après-midi. Mais ç'a été plus long que je pensais à l'université, où je devais d'abord me rendre. J'arrive tout juste.

Je lui dresse un bref bilan des événements.

— J'ai peur, Joanna. Cours, me dit-elle soudain, on se retrouve là-bas. Vite!

Bon, bon, je sais, j'ai l'air d'une joyeuse fofolle, comme ça, mais je comprends vite. Il y a une chose qui est encore plus précieuse que le sexe, c'est les amies.

N'écoutant que mon inaltérable serviabilité, je fouette donc ma fidèle monture et je galope jusque chez Ninon, mais c'est l'heure de pointe, et j'ai l'impression de conduire un char à bœufs. Quand j'arrive, Dany, assise par terre près de la fenêtre de la chambre, parle sans arrêt, d'une voix douce, comme pour apprivoiser un minou effarouché. Patricia, qui est déjà là, l'interrompt de temps en temps pour ordonner d'une voix de maîtresse d'école d'ouvrir la porte.

— Elle ne répond plus, m'informe-t-elle. Et les portes sont verrouillées.

Je me penche. J'aperçois Ninon, qui, assise sur le tapis du salon, déchire consciencieusement une pile de papiers, le regard fixe et hagard.

— Ninon ! ouvre-moi ! c'est Joanna.

Brusquement, elle saisit le gros pot en grès qui trône depuis toujours sur la table à café, et le lance en direction de la fenêtre en hurlant :

— La paix, tabarnac ! C'est-tu assez clair ? Câlissez le camp ! Allez-vous-en !

Et elle éclate en sanglots hystériques.

Je ne fais ni une ni deux. Je ne m'encombre pas de détails inutiles, moi. La subtilité, c'est bien beau, mais ça prend du temps. Suivez donc Joanna dans ses incroyables aventures. La voilà qui va, devant vous, effectuer un sauvetage à la Superman dont on se souviendra longtemps.

Je contourne la maison et défonce la vitre du sous-marin d'un coup de talon bien senti. J'atterris dans les plantes comme une parachutiste américaine, m'écorchant passablement les jambes. Un désordre inhabituel règne à la grandeur de l'appartement. Je me précipite vers mon amie. Je me jette sur elle et l'entoure de mes bras. Je vois qu'elle s'est ouvert les veines, sans grande conviction, plus par automutilation que pour se tuer, je crois. Elle tente de me repousser. Je la quitte un instant pour ouvrir la porte aux filles. Dany entre et fait le tour de l'appart. Elle revient de la salle de bains avec des flacons d'antidépresseurs largement entamés. Où diable Ninon a-t-elle pu les prendre ? Les a-t-elle volés à l'hôpital ? Combien en a-t-elle ingurgité, et à quel rythme ? Elle ne répond pas, pleurant toujours. Patricia appelle Urgences-Santé. Quant à moi, je me sers de linges à vaisselle pour lui garrotter les poignets (j'ai été jeannette dans mon enfance, c'est un détail que je n'ébruite pas, mais c'est utile à l'occasion).

Quand les deux ambulanciers — ma foi fort sexys, mais ce n'est, hélas ! pas le moment — arrivent, nous sommes autour de notre amie, pleureuses inutiles.

Ninon, de quel droit nous as-tu fait ça ?

Avant de nous rendre nous-mêmes à l'hôpital, j'appelle Marc qui, ô miracle ! est à moins d'un mille d'un téléphone.

— Amène tes fesses, que je lui dis en substance, Ninon est mal prise.

Il ne pose même pas de questions. Quatre heures plus tard, il nous rejoint aux soins intensifs où Ninon, en plein délire, répète sans fin :

— Je suis le vide, je suis le vide…

Et moi, je ne cesse de lui répondre :

— Tu dramatises, Ninon, tu dramatises…

◆

14 juillet

Elles sont venues. Marc était à côté d'elles. J'étais devenue l'héroïne. Marc était venu en auto-stop, Patricia pleurait, Dany ne décolérait pas, et Joanna me berçait comme une poupée. J'étais toute mélangée.

J'avais honte. J'avais infiniment honte de les avoir oubliés. Mais le vide avait failli me happer... Il était au-dedans de moi, il grandissait, grandissait, me possédait tout entière, m'aspirait au fond de moi-même. J'avais eu si peur de n'être rien !

Je me suis laissé dorloter comme un bébé. J'aurais dû le demander avant de faire ce geste idiot. Patricia m'a fait la lecture, Joanna est venue habiter chez moi pour me faire rire, et Dany m'apporte les journaux. Elles m'ont acheté des jouets, comme à une petite fille malade. Des craies de couleur et du papier pour dessiner, des Pif gadget, de l'argile verte. Et c'est là que j'ai eu une idée. Il faut que je la laisse incuber un peu, mais...

N.

◆

Elle s'est ratée. Si elle avait réussi, je l'aurais tuée une deuxième fois, pour lui apprendre à nous faire ça.

Mais on ne peut retenir à la vie quelqu'un qui veut s'en échapper. Ninon doit vite trouver un autre objet de quête.

Çaurait été le temps, là, que le Prince Charmant arrive dans sa vie, qu'il la fasse monter sur son blanc destrier et qu'il l'emmène faire une virée, par exemple. Ou que Lepage lui téléphone pour lui commander le décor du siècle (Ninon est une scénographe

complètement hallucinante, on a eu l'occasion de
voir ça il y a quelques années, au Festival du théâtre
à risque, elle en avait épaté plus d'un). Malheureuse-
ment, seigneur Graal n'est jamais là quand on a
besoin de lui.

Ça fait que j'ai décidé de m'en charger. Je vais
bousculer un peu Monsieur Destin et Madame
Karma, pour les faire se grouiller un peu. Si je n'étais
pas là, moi…

Il faut dire que c'est Dany qui m'a en quelque sorte
poussée dans le dos. Elle a appelé Marc, comme ça,
pour jaser, et il l'a invitée à aller passer le reste de
l'été dans le bois, avec lui. Il a dit qu'il se sent seul.
C'est bien la première fois que ça lui arrive. Ou, du
moins, qu'il l'avoue.

Bref, Dany a accepté tout de suite et m'a contactée
pour que j'aille la conduire. Je suis bien contente. Là-
bas, elle sera entre bonnes mains et, nous, on pourra
respirer un peu.

Justement, il me reste quelques jours de vacances.
Je fous toujours le camp dans le bois après le Festival
de jazz. Je trouve la ville tellement vide, soudain, que
ça me déprime.

Alors, j'ai convaincu Patricia de nous suivre, et on
part sur-le-champ. Watch out, Québécoises hors
Montréal, v'là les filles de la ville !

Cela dit, il faut que vous sachiez quelque chose : je
hais partir. J'ai la phobie des cadres de porte. C'est d'ailleurs pour ça que je suis toujours celle qui veille la
dernière. Dans une autre vie, j'ai dû quitter un lieu
cher où je n'ai jamais pu retourner. En tout cas, je hais
ça. Sans compter que, en tant qu'unique motorisée de
cette charmante gang, c'est moi qui joue les taxis.

Bref. Quand j'ai fini de faire mes bagages, j'ai prié pour que mes amies soient plus raisonnables que moi et n'essaient pas de déménager le confort nord-américain dans un camp d'été. J'appelle mon Nouveau Chum pour lui dire au revoir, et il me fait promettre de conduire comme du monde. Je commence par aller chercher Patricia, qui a tout bonnement bourré son vieux cabas à craquer. Voyant mon attirail, elle me traite de décadente.

Puis on passe chez Ninon, prête, comme de raison, arborant un look savamment sloppy totalement irrésistible.

On prend l'autoroute des Laurentides, les fenêtres ouvertes, la musique à pleine tête (du Beau Dommage, pour pas être dépaysées trop vite), et on s'arrête à Laval, où Dany est allée chercher quelques effets. Sylvain n'est pas là, il fait du temps supplémentaire de jour, à ce qu'elle dit.

Une fois qu'on est revenues sur la 15, Pat allume un petit joint. On fait un mix avec du Séguin. Quand on arrivera dans le Nord, on en sera rendues à du Harmonium, on se sera téléportées à l'époque où on allait à l'école en jaquettes et en sandales avec des bas de laine, et le temps se sera volatilisé pour une semaine. Yeah !

Je prends une petite poffe (une toute petite ! je le jure !) et je m'enquiers subtilement auprès de Ninon :

— Pis, à quel étage de ton down es-tu rendue, fille ?

— Ça va mieux, dit-elle en souriant, et je te remercie de m'avoir sortie des griffes du psychiatre qui me regardait comme un cas superintéressant.

— Une petite thérapie n'a jamais fait de mal à personne, déclaré-je en croquant une orange que Dany vient de m'éplucher, mais…

— Mais, alors, qu'est-ce que t'attends, calamité !
grogne Patricia.

— Qu'est-ce qui te dit que je n'y suis pas abonnée ?

Ça hurle dans mon dos :

— Une confidence ! On veut une confidence !

— On veut tout savoir, Joanna Limoges, c'est toi,
cette fois, qui vas parler !

— J'ai déjà vu une sexologue, avoué-je.

— Gaïa, protégez-nous, gémit Patricia. Une sexologue. Mais, Joanna, t'avais besoin de n'importe quoi
sauf d'une sexologue !

Les autres sont mortes de rire en arrière.

— Qu'est-ce que tu crois ? protesté-je. Que ça s'atteint comme ça, un orgasme vaginal ? Il faut travailler
dessus, ma fille. Je veux bien avoir le cul plus grand
que le cœur et accueillir en ma couche tous les
hommes qui lui montrent de l'intérêt en me faisant de
grands discours sur les amitiés sexuelles. Je veux bien
faire semblant de les croire quand ils disent qu'ils me
rappelleront avant de disparaître à jamais, non seulement de mon lit, mais aussi, souvent, de ma vie,
comme s'ils avaient peur que je ne les traîne de force
au pied de l'autel. Mais je veux avoir mon biscuit, par
exemple. Je veux jouir, crisse ! Sans ça, pas de Joanna !

— Un orgasme vaginal, soupire Patricia. Pourquoi
pas un point G en forme de père Noël, tant qu'à y être.

— Tu sais pas de quoi tu parles, lui réponds-je.

— Mais qu'est-ce que tu penses ? Qu'il me manque
un morceau ? Que je suis lesbienne par handicap ?
Que j'ai jamais baisé avec un gars ?

Devant moi, il y a une courbe, mais je suis trop
fascinée par ce que je viens d'entendre.

— Tourne! hurlent les filles.

Je l'admets. On a frôlé la gravelle. Mais quand elles disent qu'on a raté le fossé d'un pouce, je proteste, ce n'est pas vrai!

— Toi? m'écrié-je. Tu as déjà baisé avec un gars?

— Ben quin!

— Quand ça?

— Je sais pas... après le cégep.

— Comment ça se fait qu'on a jamais su ça?

— Je passe pas mon temps à raconter mon curriculum vitæ sexuel, moi!

— Va donc chier. Non, raconte plutôt!

— Te raconter ça à toi? Es-tu malade?

— *Let's go*, Patsy! C'est à ton tour!

— Il n'y a rien à dire! J'étais membre d'un comité vert, j'ai baisé avec un gars plutôt rose, histoire de ne pas mourir idiote, et je me suis frappée à un grand carré beige! C'est tout! Je ne mourrai pas idiote, mais pas question de mourir d'ennui non plus! Ça m'énerve, un homme! Sauf exception, je trouve ça con! En plus, c'est plein d'os pis de poils! Et ça n'a pas de seins! Et je trouve que ça raisonne de façon complètement aberrante! De façon masculine, quoi! Pourquoi est-ce que je me forcerais à me faire comprendre et à essayer de rejoindre un homme quand, de toute façon, un corps de femme m'excite davantage? Je suis lesbienne! Fière de l'être!

Elle dit ça avec une telle conviction qu'on n'insiste pas, mais ça nous met un petit sourire guilleret sur les lèvres jusqu'à la fin du voyage.

Plus loin (alors qu'on écoute du Ville Émard Blues Band, quand même, quelle époque, ces années soixante-dix), je remarque avec contentement que

même Dany a l'air de bonne humeur. Elle dit seulement, à un moment :

— Je m'ennuie de Sylvain. J'aimerais ça qu'il soit
avec nous autres.

— Ça fait combien de temps que tu ne l'as pas vu ?
demande Ninon.

— Un mois, je pense.

Je monte le son de la musique pour que Ninon en
tire quelque chose en toute tranquillité. Ah, les bles-
sures de l'âme, qu'elles sont difficiles à soigner !

Ma fidèle Mouche-à-feu toffe vaillamment la
ronne jusqu'à destination, c'est-à-dire au fond d'un
rang, sur le sommet d'une colline, au pied de laquelle
repose — c'est vraiment le cas, il a l'air de vraiment
prendre ça cool — le lac Nominingue. Si je l'avais
apportée, j'aurais offert ma montre en sacrifice à la
déesse des vacances et je l'aurais pitchée dans l'eau
(pas la déesse, ma montre).

Marc nous attend. Il nous embrasse. Dany et Patricia
s'occupent des bagages tandis que je cours enfiler mon
costume de bain, et que Ninon va parler avec Marc.

Une demi-heure plus tard, on est attablées devant
de la bière importée et du fromage de chèvre. Je suis
ruisselante d'eau froide et j'arbore un petit sourire
niais indiquant que JE SUIS DÉTENDUE (ce qui est pour
moi un état encore plus difficile à atteindre que
l'orgasme) quand s'annonce du monde.

Sortant de nulle part, c'est-à-dire du bois, un
énorme bouquet de fleurs sauvages à la main, Sylvain
avance vers nous avec un sourire un peu timide.

Il s'agenouille aux pieds de sa belle (j'en ai les larmes aux yeux) et lui dit (inévitablement, que pour-
rait-il dire d'autre ?) :

— Je t'aime.

On fond comme de la crème glacée au soleil (qui est là, d'ailleurs, pour applaudir de deux rayons). Puis Sylvain dit :

— Je peux m'en aller, si tu veux pas me voir.

Elle se met à pleurer. Bon, ça prend une diversion.

— Tout le monde à l'eau ! crié-je.

On descend en courant sur le quai de bois, laissant les tourtereaux s'arranger avec leur trouble. En tout cas, on ne pourra pas dire que je n'ai pas fait tout ce que j'ai pu pour que ça marche. (Bien sûr que c'est moi qui ai tout organisé. Qu'est-ce que vous pensez ?)

◆

(Relaxez donc ! Eh ! que vous êtes stressées !)

Au moment où je vous parle, Dany et Sylvain font l'amour sur le radeau, à cent brasses de la rive, au clair de lune. Ninon est en train de faire pareil quelque part dans le bois avec Marc, et, Patricia et moi, on veille au coin du feu comme deux chaperonnes complaisantes, sur le bord du lac.

— Tant qu'à y être, on baise-tu nous autres aussi ?

Elle se met à rire.

— T'as peur.

Et comme je lui plaque les deux mains sur les seins, piquée au vif d'être ainsi mise au défi, elle me repousse en riant.

— C'était une blague ! Si tu me touches, je hurle au viol !

On se blottit l'une contre l'autre. Colle-toi, grande sœur. Je l'entoure d'un bras et je joue de l'autre main dans le feu avec un bout de bois.

— Quand même, je connais d'autres manières de communiquer… Qu'est-ce qui va arriver à Ninon, Patricia ?

— Elle va trouver autre chose, ne t'inquiète pas. Elle a eu une panne de créativité, elle n'a pas été assez imaginative pour croire qu'elle survivrait à sa peine, mais ça va aller mieux bientôt. Elle est forte.

— On est toutes fortes. Même Dany. Avec ce qu'elle a subi…

— Celle-là m'inquiète beaucoup plus.

— Oui, moi aussi… on n'aurait pas cru ça au jour de l'An, han ?

— Mes aïeules, non !

Je chasse les idées noires.

— Mais toi, Pat ? Quand est-ce que tu vas trouver la femme de ta vie ?

— Bof… ça viendra bien. Pour l'instant, j'ai d'autres objectifs.

— Arrête de me parler comme un documentaire, Patricia Chaillé !

— O.K… Tu me fais chier. Tu veux vraiment tout savoir ?

— Tu parles d'une question !

— Il y a deux ans, j'ai rencontré une Française en vacances, tu te souviens ?

— Bien sûr, tu es allée deux fois la voir à Nancy, tu parlais d'aller étudier là-bas.

— Oui, c'était un vague projet. Sincèrement, si ça n'avait pas été de la job au Conseil du statut de la femme, j'avais la ferme intention de partir à l'automne, pour un an ou deux. Mais maintenant que j'ai quelque chose à perdre, ça ne me tente plus vraiment. Et puis la stabilité de l'emploi réduit encore plus les possibilités de se voir. J'ai envie de mettre mes énergies sur mon nouveau travail. Après, quand j'aurai stabilisé ma vie un peu, on verra. Une chose à la fois.

— Et si une merveilleuse amazone, chevauchant nue un noir destrier, débarquait dans ta vie demain matin ?

— Évidemment, dans ce cas…

On se met à rire. On entend au loin un double plongeon et on tourne la tête. Les amoureux ont fini de forniquer à tous vents — vents qui commencent d'ailleurs à fraîchir — et s'en reviennent. Je vais leur chercher des serviettes tandis que Patricia nous prépare des cafés-cognac.

◆

17 juillet

On a beaucoup parlé. Ça m'a fait du bien. J'aurais voulu lui dire qu'il était resté parti trop longtemps, qu'une planète, ça a besoin de monde qui tourne autour de son orbite, que je ne me sens pas aussi forte que j'en ai l'air, mais c'était inutile. Il le sait.

On a fini par faire l'amour, comme ça nous arrive de loin en loin, et on s'est rejoints enfin. On n'a pas prononcé un mot. Après, Marc a dit :

— Je gage que les filles ont fait du café-cognac.

On est retournés au camp. Joanna et Patricia étaient blotties dans la même couverture de laine. Joanna a protesté avant qu'on puisse dire un mot :

— Ne partez pas de rumeurs, on n'a pas baisé, NOUS.

Marc et moi avons dormi ensemble. Ça faisait longtemps. C'était bon.

N.

◆

Pas grand-chose à dire. Le feeling général peut se résumer en un mot : peace ! On s'est baignées, on a fait du cheval, on a bronzé, on a joué, on a bu, on a mangé, on a ri, on a parlé, on a dormi. On est reparties le cœur gros, en laissant là Dany, et on a repris la route à deux voitures. Ninon est montée avec Sylvain.

◆

22 juillet

Ça a fait du bien ! Je ne pourrais pas vivre ailleurs qu'à Montréal, mais comme il fait bon en sortir de temps en temps !

Sylvain a rapidement cessé de suivre Joanna, qu'il a qualifiée de danger public. On a dépassé sa voiture et on leur a envoyé des bye-bye.

— Pis, Sylvain ?

— Je crois que Dany va revenir. Elle va rester là jusqu'à la fin août, elle va réfléchir, mais je crois qu'elle va me revenir. Elle est en bonnes mains, Marc va s'occuper d'elle et la rassurer. Je veux y croire. Je vais l'attendre.

On s'est arrêtés acheter des hamburgers à la Porte du Nord, qu'on a mangés dans l'auto. On est arrivés en ville à la brunante. On a pris une bière dans la cour arrière de chez moi, qui donne sur la ruelle. Il faisait humide et collant, et on s'est instantanément ennuyés de la fraîcheur du Nord. Sylvain devait dormir une heure ou deux avant d'aller travailler alors il est parti tôt. Pendant un fugace instant, pour jouer, je me suis demandé quel couple nous formerions, lui et moi, s'il n'y avait pas Dany. J'ai chassé cette pensée très vite, car le jeu faisait mal. Il me rap-

*pelait douloureusement que ma solitude s'étire, qu'il y a long-
temps que je n'ai pas aimé un homme et que je m'ennuie des
habitudes à deux.*

Je m'en vais me coucher. Je travaille demain.

N.

◆

Last call. Il fait deux mille degrés, ce qui est anormal pour une fin août, mais, comme on sait que ça
ne durera pas, on ne quitte pas les terrasses. La planète entière me fait de l'œil, comme à chaque fois que
j'ai un chum. Je m'en fous. Le nouvel élu de mon
cœur, de mon cul et de mes pensées est au boutte.
Presque deux mois déjà et il n'a pas essayé une fois
de me faire taire. Et il ne dit presque jamais non. Et il
rit de mes blagues. Et il invente plein de jeux, et il
raconte plein d'histoires et il connaît plein de monde
et il écoute de la musique géniale. JE SUIS EN AMOUR !

Dany a écrit quelques fois à Sylvain. Celui-là, je le
sors souvent, pour lui changer les idées. Marc est sta-
tionnaire depuis deux mois (un record), et Patricia se
donne corps et âme à sa job. Quant à Ninon, pas de
nouvelles, bonnes nouvelles. Quand je m'arrête en
passant, elle me dit que tout va bien, qu'elle n'a pas le
temps de me garder à souper, qu'elle me rappellera
bientôt, aussitôt qu'elle aura terminé son projet.
Lequel ? Tout ce que je sais, c'est que, l'autre jour, elle
était couverte d'éclaboussures de chocolat de la tête
aux pieds, que la semaine d'avant, elle avait les
mains en sang (ne paniquez pas, c'est toujours
comme ça quand on fait du vitrail) et que, cet après-
midi, je l'ai trouvée engluée dans son pot de colle

comme un papillon de nuit ; dans sa chambre (dont
une partie est un atelier qui a pour l'instant des allu-
res de chantier), les plumes flottaient en suspension
dans l'air et je me suis échappée en courant avant de
succomber à une de mes célèbres (et impressionnan-
tes) crises d'asthme. Alors ? Alors mystère et boule de
gomme, les filles ! Mais qui dit projet dit avenir, et qui
dit avenir dit envie de vivre. Alors tout va bien.

◆

La sirène du Nord, fable

Il était une fois une petite sirène, perdue loin dans
les bois, loin de son foyer au pied duquel coule la
rivière qui mène à la mer. Elle passait ses grandes
journées à pleurer, assise sur le quai, au milieu du
lac, loin du regard de tous, encerclée par des dragons
d'eau et des méduses émergeant de l'eau partout
autour d'elle, la gueule ouverte pour lui montrer leurs
crocs et leur langue fourchue. Et, un jour, alors qu'elle
cherchait secours dans le vert de la forêt et le bleu du
ciel, la petite sirène se sentit si petite, si futile, qu'elle
décida que, pour noyer cette peine plus grande
qu'elle, il fallait mourir en même temps.

Elle se leva donc, regarda longuement l'eau avant
de s'y abîmer vaillamment. Et elle nagea loin vers le
large, ne regardant jamais derrière elle, se tenant loin
des îles, appelant la mort.

Longtemps plus tard, au moment même où elle suf-
foquait et où elle glissait vers le fond, une main la saisit par le bras et la fit tant bien que mal monter dans

un canot. Reprenant son souffle, elle vit son ami le coureur des bois penché au-dessus d'elle, qui lui dit :

— Aïe, petite fille, il y a quelqu'un qui t'aime, tu n'as pas le droit de lui faire ça.

Et elle comprit que si elle acceptait de croire qu'il y avait autant de sauveurs que de dragons sur terre, ça valait la peine d'essayer de vivre. Et le visage de l'homme qu'elle aimait lui revint en mémoire, et elle eut impérieusement le goût de se retrouver à ses côtés, de partager sa vie et de lui donner des filles dont il n'abuserait pas. Elle eut la crainte qu'il ne soit trop tard, qu'il ne se soit détaché d'elle pendant son absence, mais elle chassa vite sa peur. Il était digne de confiance, ses grandes sœurs le lui avaient assez dit.

Quand le canot toucha terre, elle se rua sur le téléphone, et une voix douce et grave, vibrante, lui confirma qu'elle était attendue. Elle n'avait pas vaincu tous les dragons et tous les doutes, mais l'exil était terminé.

◆

5 septembre

J'ai pris mon temps. J'ai longuement mis mon plan au point. J'ai écrit un texte, j'ai préparé mon coup. J'ai fini par mettre gentiment Joanna à la porte, aussi, qui ne se fit pas prier parce que, quand Joanna est en amour, il n'y a que dans un lit qu'elle tienne en place.

Puis le grand jour vint. J'ai mis beaucoup de soin à ma toilette. D'abord un chapeau à la Mitsou, avec des fruits et de vraies feuilles d'automne, dont les couleurs correspondaient à celle de mes cheveux, et un oiseau avec de vraies plumes. J'avais beaucoup

insisté pour que mon entrevue soit à deux heures et demie, comme
ça, à trois heures, l'oiseau lancerait trois roucoulements.

Puis une robe en papier journal encollé, au son froufroutant,
où apparaissaient çà et là les critiques désastreuses d'un roman
que j'ai écrit autrefois, dans une autre vie.

Et une musette dans laquelle j'ai apporté mon curriculum
vitæ en trois dimensions.

Au début, la propriétaire de la chaîne de cartes de souhaits
ne m'a pas prise au sérieux. J'avais dû lui tordre un bras pour
obtenir ce rendez-vous puisque aucun poste n'était disponible
pour le moment, m'avait-on dit.

Puis j'ai montré mes cartes de souhaits. La première, en
vitrail, pèse près d'un kilo, et les trois épaisseurs de verre coloré
englué dans le plomb révèlent plusieurs paraboles différentes
selon l'angle sous lequel on la regarde. La deuxième, véritable
sculpture de papier plié, représente un jardin zoologique préhis-
torique et chaque animal tient dans sa gueule un carton orné
d'une jolie phrase. La troisième est entièrement faite de chocolat,
en forme de running shoe usé, et chaque morceau de friandise
est indépendant de l'autre, si bien que, jusqu'à ce qu'on ait tout
mangé, la chaussure garde sa forme.

Alors la dame commença à montrer de l'intérêt.

— Voyez-vous, ai-je dit en montrant mes cadeaux, les gens
aiment souhaiter. Si on leur donne tout ce qu'ils veulent, ils n'ont
d'autre solution que de souhaiter autre chose, vous me suivez ?
Une fois qu'on a enfin reçu une cravate qui convient à sa chemise, on ne peut que désirer une nouvelle chemise pour pouvoir
désirer une nouvelle cravate.

Puis mon chapeau sonna trois heures, ce qui fit sursauter ma
vis-à-vis. Je sortis alors de ma musette ma bonbonnière en céra-
mique, dont chacun des vingt-cinq bonbons colorés renferme un
message sur papyrus de coton. La directrice prit le temps de lire
chacun d'eux, sourit, rit, s'esclaffa.

— Les gens passent leur temps à se creuser les méninges pour offrir des cadeaux à ceux qu'ils aiment alors que ce qu'ils voudraient vraiment offrir, ce sont des souhaits sincères. Et tout ce qu'ils peuvent balbutier, c'est « de la santé, du succès dans tes études et un bon gars », le tout accompagné d'une carte fade imprimée en série. Mais, dans la vie, tout ce qu'on veut, c'est avoir quelque chose à souhaiter, des buts, des rêves, n'est-ce pas ?

La respectable patronne regardait presque mon sac avec méfiance quand j'en retirai une étude de marché calligraphiée et ornée d'enluminures. Elle la prit et observa chaque chiffre doré, minutieusement tracé, puis releva les yeux vers moi.

— Sauf qu'il faut de temps à autre qu'ils atteignent leur but, poursuivis-je, à tout le moins qu'ils avancent vers lui. Mais le pire, c'est de ne rien désirer. Je pourrais vous parler longuement d'une amie…

— Vous êtes un peu folle.

— Passablement, avouai-je humblement. Puis, sur un ton de femme d'affaires : Madame, j'ai du talent en tout (et j'en rougissais en dedans). Et des idées à profusion. Ce que j'ai à vous proposer, c'est un concept de cartes-cadeaux. Chacune de ces cartes de souhait vaudra au moins 25 $, parfois dix fois plus mais j'ai aussi des idées à 5 $. Mes œuvres ne répondent à aucun besoin, sauf à celui du rêve.

Je ne veux pas être votre employée, poursuivis-je. Je veux créer des objets d'art qui disent : « J'espère le bonheur pour toi » et je veux qu'ils soient distribués dans vos boutiques. Je veux qu'ils soient exposés dans les salons de vos clientes, souvenirs périssables et précieux d'un moment unique. Et, franchement, je veux que les gens reçoivent mes cartes à Noël ou à Pâques et qu'ils disent : « Oh, c'est une carte Ninon Lafontaine ! »

Je me suis levée et on s'est serré la main avec une belle connivence de gauchères. Puis elle a appelé son secrétaire pour qu'il prépare un contrat. Il était grand, mince, avec une queue de

cheval frisée et une boucle d'oreille en forme de peace à l'oreille.
J'ai échangé avec lui un regard lourd de sens et je suis repartie
chez moi avec, en tête, un nouveau souhait.

N.

◆

Les filles, je vous livre le scoop : je m'en vais habiter avec mon chum. Pas mon amant, mon ami, mon copain, mais bien mon vrai de vrai chum, qu'on peut nommer comme tel dans les conversations, dont je suis « la chumesse » officielle, dont je peux attendre la fidélité, le respect, le soutien, le partage. Je jouis (c'est le mot juste, d'ailleurs, je n'arrête pas de jouir, je me promène dans la vie avec un sourire à ressusciter un suicidaire, je répands autour de moi ma bonne humeur et ma satisfaction). Bref, je fais plaisir à voir.

On s'est trouvé un appartement génial au-dessus d'un commerce (comme ça, on pourra écouter de la musique à la force qu'on voudra), dans la Petite Patrie (c'est un quartier passablement plate, je vous l'accorde, mais ça nous tiendra à l'écart des bars, ça ne fera pas de tort à mon budget), tout près de la station Fabre, la plus rigolote de tout le réseau (ça vous donne presque envie de prendre le métro) et je dépense une fortune à aménager ça en nid d'amour. Mais je n'en ai cure, car je travaille sur trois contrats en même temps, je dors quatre heures par nuit, j'en baise deux par jour, j'arbore des cernes sous les yeux à faire blêmir une esthéticienne, et je m'en fous, JE SUIS HEUREUSE !

Joanna Limoges, pour toute la bande, à Montréal.

15 septembre

J'ai trouvé une nouvelle idée de roman. Ce sera l'histoire d'une bande d'amis fidèles, comme le clan des as, à qui il arrive toutes sortes de mésaventures. Il y aura plein de voix. On ne les reconnaîtra pas toujours très bien. Les personnages seront très clichés, tout d'un bloc. Ils se promèneront dans la vie en cherchant partout l'aventure, en rencontrant d'autres personnages de rêves. Ils se retrouveront dans le fond des ruelles, dans les tours à bureaux, dans les bas-fonds du grand Montréal. Il y aura un personnage lointain, un télépathe, peut-être, pur esprit. Il y aura une vieille sage mi-sorcière mi-mage, une petite fille, une folle du village et une reine, dure mais juste. Oh oui, et une grande meneuse de jeux, déesse-joker absente. Et puis peut-être aussi un rendez-vous avec un gars à queue de cheval.

Elles ne s'en tireront pas. Je parlerai encore d'elles. Et qu'elles ne s'attendent pas à ce que je sois plus indulgente! Cette fois-ci, elles vont y goûter! Je dirai tout! Mais elles se trouveront si belles dans mes mots qu'elles ne pourront rien trouver à redire.

Je vais écrire un récit qui ressemblera à la vie, qui ira vite comme elle, tortueux, incohérent, un peu plate par bouts, trépidant, souvent.

Il faut que j'achète un nouveau cahier.

Ninon Lafontaine

Table

Cet ouvrage
composé en Post Mediaeval corps 10,5
a été achevé d'imprimer
en juin mil neuf cent quatre-vingt-dix-sept
sur les presses de
AGMV/Marquis
Cap-Saint-Ignace (Québec).